LE NOUVEL ESPACES

PERFECTIONNEMENT

3

CAHIER D'EXERCICES

Guy CAPELLE
Noëlle GIDON
Muriel MOLINIÉ

HACHETTE F.L.E.
58, rue Jean-Bleuzen
92170 VANVES

SOMMAIRE

Crédits photos : N.D. Roger-Viollet : 52 - Les Dupondt, le capitaine Haddock par Hergé© Hergé/Casterman : 89 - Gaston Lagaffe par Franquin© Franquin et Jidehem, éditons Dupuis, extrait de l'album *Le lourd passé de Gaston Lagaffe* : 89 - Lucien par Margerin© Humanos SA Genève, nov. 1989 : 89.

Dessins : Hubert Blatz, Gaëlle Ferté.
Couverture : maquette Gilles Vuillemard.
Photo de couverture : Fotogram-Stone/Paul Bergé.
Réalisation PAO : O'Leary.

Avec les remerciements chaleureux des auteurs à Cécile Le Dilly (Paris VII ; CCI du Mans).

I.S.B.N. : 2.01.155062 - 9
© Hachette Livre 1996 - 43, Quai de Grenelle F 75905 Paris cedex 15

AVANT-PROPOS

Ce cahier s'adresse aux utilisateurs du ***Nouvel* ESPACES 3**. Il comporte près de 300 exercices. Il est destiné à la fois au travail en classe (exercices complémentaires sur les textes et les documents du manuel, révisions grammaticales, séances de préparation collective au DELF deuxième degré) et au travail personnel en dehors de la classe. Comme le manuel, il comprend 15 chapitres.

Chaque chapitre est composé de trois sections :

1. ESPACE SOCIÉTÉ :

des exercices de langue et de civilisation portant sur le thème et les documents du dossier du livre de l'élève. Ces exercices sont destinés à renforcer la capacité de réemploi des formes, de réflexion sur le fonctionnement de la langue et d'interprétation des faits culturels.

2. ESPACE LANGUE :

des exercices systématiques de révision grammaticale portant sur des aspects différents et complémentaires de ceux traités dans le livre. Ce sont des exercices de "sondage" qui portent sur les points les plus sensibles de la langue.

3. ESPACE DOCUMENTS :

des activités d'approfondissement du maniement de la langue. Cette partie propose concrètement des stratégies d'apprentissage des savoir-faire demandés pour le DELF deuxième degré et particulièrement pour les trois épreuves de l'unité A5 :
- l'analyse d'un texte et la présentation d'un thème (oral 1),
- l'exposé comparatiste sur un trait culturel (oral 2)
- le compte-rendu d'un texte (écrit)

Cette partie se retrouve dans 11 dossier sur 15.

Remarques générales

Rappelons que pour réussir l'épreuve A5 du DELF, l'étudiant doit être capable :
1) de saisir et de présenter les principaux aspects d'un domaine socio-culturel de la France contemporaine (compte-rendu écrit et oral 1) ;
2) de les comparer à un domaine équivalent dans sa propre société (oral 2) ;
3) de tenir un discours organisé, articulé autour d'un plan (écrit et oraux).

La compétence culturelle évaluée par cette unité A5 se place à un niveau de culture générale. On n'attend pas du candidat qu'il soit un spécialiste de l'un des six thèmes proposés :

1 travailler	4 les institutions
2 se déplacer	5 les pratiques culturelles
3 étudier	6 la civilisation et la culture contemporaines

Bien que l'unité A6 ne soit pas traitée de façon systématique dans ce cahier, il va de soi que la préparation des deux épreuves qui la composent (compte rendu oral d'un texte authentique dans un domaine de spécialisation défini par le candidat et entretien sur ce texte avec un jury), sera facilitée par l'entraînement à l'unité A5 proposé dans l'ensemble pédagogique du ***Nouvel* ESPACES 3** qui sollicite la réflexion des futurs candidats.

Il appartiendra à chaque professeur de choisir les exercices les plus appropriés aux besoins des étudiants, d'en assurer la correction et de faire les mises au point nécessaires.

ESPACE SOCIÉTÉ

- COMPORTEMENTS SOCIAUX
  BONNES MANIÈRES

1 Qu'en pensez-vous ?

les coutume

Dites si les <u>comportements sociaux</u> ci-dessous sont semblables (S) ou différents (D) de ceux qui ont cours dans le « code de bonnes manières » de votre pays.

1. Si vous êtes invité(e) à dîner, la maîtresse de maison vous attend vers huit heures, <u>à moins</u> qu'une heure différente ait été mentionnée au moment de l'invitation. ⬛ S

2. Il est poli d'arriver quelques minutes en retard afin de <u>laisser à</u> la maîtresse de maison <u>le temps de</u> tout préparer. ⬛ D

3. L'invité offre des fleurs à la maîtresse de maison. Ces fleurs doivent être bien emballées et porter l'étiquette du fleuriste. ⬛ S/D

4. À table, les femmes se servent (ou sont servies) d'abord, la maîtresse de maison se servant la dernière. Les hommes se servent ensuite, le maître de maison se servant <u>en dernier</u>. *ensemble* ⬜ D.

5. L'invité téléphone deux ou trois jours après la soirée pour renouveler ses remerciements à ses hôtes. ⬜ D.

6. S'il sont amis, les hommes et les femmes se font des bites quand ils se rencontrent. D.

- DÉCRIRE UN CARACTÈRE

2 Qualités et défauts des Français.

(nf) *(nm)* *trouvez*

Parmi les adjectifs ci-dessous, repérez les adjectifs de qualité et de défaut puis classez-les dans l'ordre qui vous semble convenir le mieux aux Français.

râleurs, beaux, menteurs, sérieux, entêtés, débrouillards, grands, honnêtes, bavards, agressifs, sympathiques, contents d'eux-mêmes, sales, vieux jeu, accueillants, courageux, travailleurs, distants, énergiques, stupides, intelligents, hypocrites, paresseux.

Qualités :

....

....

....

....

Défauts :

....

....

....

....

- MODALISATION

3 Soyez indulgents !

Énoncez un défaut, puis atténuez la critique en mettant en valeur une qualité. Utilisez un adverbe d'intensité (*assez, plutôt, très...*) devant le défaut. Modalisez la qualité.

Les Français sont plutôt distants, mais ils peuvent être accueillants.

1. ....

2. ....

3. ....

4. ....

● PRONOMS RELATIFS
DONT ET *LEQUEL*

4 **Réunissez les deux phrases.**

Avec les deux phrases proposées, n'en faites qu'une seule commençant par l'expression soulignée suivie d'une proposition relative introduite par *dont* ou *lequel* et ses composés.

J'ai parlé <u>à des amis.</u> Ils n'étaient jamais allés en France.
→ *Les amis auxquels j'ai parlé n'étaient jamais allés en France.*

1. Ils ont discuté <u>de leurs opinions sur les Français</u>. C'était des stéréotypes.

....

2. J'ai élevé des objections <u>contre leurs jugements</u>. Ils étaient trop simples.

....

3. Ils ont répondu <u>à mes critiques</u>. Elles ne les ont pas convaincus.

....

4. J'ai conseillé <u>à mes amis</u> d'aller en France. Ils s'y rendront aux prochaines vacances.

....

5. Je leur ai parlé <u>du Grand Louvre</u>. Cela semblait les enchanter.

....

● DEGRÉ DE GÉNÉRALISATION

5 **Relativisez !**

Trouvez trois phrases qui restreignent chaque fois la généralité de la précédente.

→ *Les Français sont débrouillards. Certains Français sont débrouillards. Peu de Français sont débrouillards. Il n'y a pas de Français débrouillards.*
→ *Les Français sont quelquefois / rarement / ne sont jamais débrouillards.*
→ *Les Français sont très / peu / ne sont pas du tout débrouillards.*

1. Les femmes sont coquettes.

....

....

....

2. Les hommes sont égoïstes.

....

....

....

3. Les enfants sont désobéissants.

....

....

....

4. Les chiens sont méchants.

....

....

....

5. Les chats sont affectueux.

....

....

....

ESPACE LANGUE

Les articles

● CAS D'EMPLOI

1 Justifiez l'emploi des articles définis.

Relevez les articles définis dans le texte de la page 10 du manuel et attribuez-leur un des quatre cas d'emploi décrits ci-dessous.

L'article défini : le, la, l', les

1. Généralisation : *L'*homme est mortel. (= tous les hommes)
   la sagesse (nom abstrait) *wisdom*
2. Entité unique : *la* lune (mais une lune de miel)
3. Entité déjà connue ou dont on vient de parler :
   Prends *le* lait dans *le* réfrigérateur.
4. Entité déterminée par le contexte :
   avoir *l'*occasion de voyager.

Le Français (1) a *la* réputation (4) d'être casanier.

● CAS D'EMPLOI

2 Complétez.

Complétez le texte avec des articles définis et indiquez le cas d'emploi (1, 2, 3 ou 4).

(2) *Le* soleil se levait à *juste* peine à (2) *l'* horizon et (1) *les* habitants du village dormaient encore. C'est alors qu'on entendit (4) *l'* écho *assez loin* lointain d'une voiture. (3) *Le* bruit grandit et (3) *la* voiture déboucha sur (3) *la* place. (4) *Le* grondement du moteur était amplifié dans (3) *le* silence *le début du jour* du petit jour. Une fenêtre s'ouvrit, puis une autre et, bientôt, (3) *les* riverains contemplaient (3) *le* véhicule immobile qui était venu troubler leur sommeil.

● ATTENTION AUX CONTRACTIONS :
À + ARTICLE DÉFINI
DE + ARTICLE DÉFINI

les ... de
des qualités

3 Complétez le texte avec des articles définis.

La diffusion *des* valeurs féminines *tend to / to become widespread* tend à se généraliser. *Le* sens pratique, *la* modestie, *la* sagesse *wisdom*, *l'* intuition, *l'* équilibre, *le* pacifisme, *la* *autre* douceur et *le* respect de *la* vie sont *les* qualités de plus en plus nécessaires *au* monde *maintenant* actuel. *Les* femmes ne sont pas *les* *they are not the only ones* dépositaires exclusives *les* *il va mieux* vertus de l'humanité, mais il semble qu'on trouve plus fréquemment ces qualités chez elles, dans *l'* attente de preuves irréfutables *absolute proof* apportées par *les* généticiens et *les* psychanalystes *aux* hommes qui semblent penser le contraire.

● ARTICLE DÉFINI APRÈS UN VERBE PRONOMINAL DEVANT LES PARTIES DU CORPS.

4 Que font-ils ?

....

● ARTICLE DÉFINI
   OU ARTICLE INDÉFINI
   UN, UNE, DES

5 Complétez les phrases.

1. Après *la* pluie, *le* beau temps. (proverbe).
2. Il y a *des* Français sympathiques.
3. *Le* savoir-vivre est *une* marque de bonne éducation.
4. *Un* tien vaut mieux que deux tu l'auras. (proverbe)
5. Vous avez parlé à *un* homme âgé tout à l'heure. C'est *le* docteur qui soigne les gens du village.

● ARTICLE DÉFINI
   OU ARTICLE INDÉFINI

6 Ajoutez l'article qui convient.

Les Français s'estiment intelligents à *la* grande majorité. C'est *le* résultat *le* plus évident d'*un* récent sondage. *Le* sondage a également révélé qu'*un* Français sur dix est gaucher et que plus de *la* moitié portent *des* lunettes. Et 62 % pour cent environ *des* personnes interrogées préfèrent *l'* armée de métier au service militaire.

● ARTICLE INDÉFINI OU
   ABSENCE D'ARTICLE

7 Complétez avec un article si nécessaire.

L'article est supprimé :
   – après *en* : un bateau en papier, en France
   – après adjectif ou participe + *de* : Il est avide de gloire. Elle est débordante de vie.
   – après *sans* ou *avec* + nom non qualifié par un adjectif : sans effort, avec patience
   – dans un complément de nom « nom + *de* + nom », si le deuxième nom n'est pas déterminé : un verre de vin, une veste de laine

1. J'ai acheté *une* table de ...... cuisine et *des* chaises de ...... jardin au marché de ...... ville. J'ai aussi pris *une* vase de ...... fleurs.
2. Comme il fait " *un* soleil de ...... plomb ", j'ai mis *un* chapeau de ...... paille.
3. Est-ce que tu as *des* pièces de ...... monnaie. Il faut que j'achète *un* sac en ...... papier.
4. Elle portait *une* chemiser de ...... soie et *un* collier de ...... perles. Elle avait mis *une* jupe noire de sa mère.
5. Chez lui, il n'y a que *des* meubles de ...... style, *des* objets de ...... valeur et *des* livres de ...... prix.

● ADJECTIF + *DE* + NOM
   PARTICIPE + *DE* + NOM

8 Formez des expressions.

Dans chaque groupe, réunissez les mots suivants deux à deux avec la préposition *de*. Utilisez votre dictionnaire.
1. joie, mort, soucis, dévoré, énergie, accablé, remords, fou, faim, plein.
....
....
2. salade, rôti, plat, bœuf, confitures, tomates, légumes, soupe, viande, cerises.
....
....

- ARTICLE INDÉFINI OU
  ABSENCE D'ARTICLE
  SANS + NOM
  AVEC + NOM

9 Ajoutez l'article si nécessaire.

Bien qu'ils soient sans ...... argent, ils ont accueilli la nouvelle avec ...... soulagement. C'est avec ...... grand courage qu'ils ont accepté, sans ...... aide, de rester en province. Ils étaient pourtant sans ...... défense et c'est avec ...... certain orgueil qu'ils ont relevé le défi.

- *SANS* + (ADJ) + NOM
  AVEC + (ADJ) + NOM

10 Combinez.

Formez des expressions avec *sans* ou *avec*.

...... argent, ... un grand soulagement, ... une aide efficace, ... beaucoup d'argent, ... souci, ... un grand courage, ... la dernière des énergies, ... humour, ... mauvaise volonté.

ESPACE DOCUMENTS

Comment présenter un thème

 A5 Oral 1 : Entretien : présentation d'un texte et discussion sur le thème choisi.
Thème 2 : se déplacer.

COMPRÉHENSION GLOBALE

Nature de l'épreuve et savoir faire exigé :
1. Présenter le document, c'est à dire :
   - en caractériser la nature (article de journal, entretien, interview…),
   - en caractériser la fonction (analyser, dénoncer, prouver…),
   - identifier le point de vue de l'auteur (quelle est sa thèse) et son objectif (fonction du texte),
   - dégager le thème principal et l'organisation de l'ensemble (le plan général),
   - sélectionner les informations essentielles et les reformuler,
   - organiser son discours à partir d'un plan.
2. Mettre le document en relation avec un des six thèmes de l'unité A5 (travailler, se dépacer, étudier, les institutions, les pratiques culturelles, la civilisation et la culture contemporaine).
3. Exprimer une opinion personnelle sur le contenu et l'intérêt du document.
4. Répondre aux questions du jury.

1 Analysez rapidement le « circuit de lecture ».

Le circuit de lecture :
Le circuit de lecture est un parcours rapide qu'effectue l'œil du lecteur pour se faire une idée globale du contenu d'un texte. Ce circuit est rendu possible grâce à des éléments détachés du texte lui-même :
- les visuels (textes courts encadrés, images, photos…),
- le nom de l'auteur et sa profession,
- le titre du texte,
- les intertitres,
- le chapeau,
- l'introduction,
- la conclusion.

Ce circuit repose également sur la lecture rapide du début et de la fin de chaque paragraphe où se trouvent les idées clefs du texte. Selon Louis Timbal-Duclaux, le circuit de lecture permettrait au lecteur d'accéder rapidement à 80 % de l'information contenue dans un texte, à condition que celui-ci soit bien structuré.

D'après *L'expression écrite,* 1991, Éditions ESF.

SERVICE PUBLIC

Bonjour les vacanciers !

Cet été, l'accueil sera une fois de plus de saison, puisque l'opération « Bonjour », lancée en 1994 à l'intention des dizaines de millions de vacanciers français et étrangers fréquentant l'hexagone, sera poursuivie et renforcée sur tout le territoire.

La France dispose, en effet, d'un extraordinaire patrimoine naturel et culturel ; c'est depuis longtemps une terre d'élection pour les séjours et voyages d'agrément. Préserver et faire prospérer le tourisme en France, c'est avant tout faciliter les déplacements et donner la priorité à l'accueil. La qualité du service, l'information, l'attention dont bénéficient les voyageurs sont au cœur de l'activité touristique.

L'accueil, c'est la raison d'être de cette opération « Bonjour » qui a réuni l'an dernier de nombreux partenaires sous l'égide du ministère de l'Équipement, des Transports et du Tourisme : Aéroports de Paris, Air France, Air Inter, la Direction générale de l'aviation civile (DGAC), la Direction du tourisme, les offices du tourisme et syndicats d'initiative, la Mer, Météo France, les sociétés d'autoroutes, la SNCF et Voies navigables de France. Tous solidaires pour mobiliser les Français et infléchir durablement leurs comportements en matière d'accueil.

Un grand pays de tourisme

La France devrait enregistrer cet été plus de 60 millions d'arrivées de touristes étrangers. C'est dire l'attrait exercé par la première destination touristique mondiale en nombre d'arrivées, et la deuxième, derrière les États-Unis, en termes de recettes. Si les Français passent plus volontiers leurs vacances chez eux que les citoyens d'autres pays européens, c'est en raison de l'exceptionnelle diversité de leur territoire : climat océanique ou méditerranéen, mer ou montagne, vignes ou forêts. L'hexagone autorise aussi bien le tourisme culturel que le tourisme vert ou le tourisme sportif. La renommée de sa gastronomie, de ses vins, de ses vêtements, de ses parfums, n'est plus à faire. Et du camping au château, il offre tous les types d'hébergements. Pas étonnant non plus que le tourisme soit devenu le meilleur produit d'exportation de la France devant l'industrie agro-alimentaire.

Un poids économique non négligeable

Alors que la consommation des touristes français sur le territoire représentait 340 milliards de francs en 1992, et que la part de marché de la France dans le tourisme international s'accroît (12,5 % des séjours), tous les acteurs du secteur doivent se montrer vigilants du fait de la montée en puissance de l'Amérique et des nouveaux pays récepteurs de l'Extrême-Orient / Pacifique. Pour l'avenir, les perspectives de croissance du secteur touristique seront moins favorables et s'inscriront dans un contexte fortement concurrentiel. La France dispose

Tour de France en « 80 Bonjour ».

L'opération « Bonjour » de l'été 1995 s'appuyait également sur un « événementiel », impliquant l'ensemble des partenaires et des régions : un tour de France en montgolfière en 25 étapes pendant tout l'été (de fin juin à fin août). Le décollage de la montgolfière « Bonjour » était organisé à chaque étape dans un site choisi par l'office du tourisme local : une place au cœur de la ville, un terrain de sport, une plage, un parc… Cette manœuvre spectaculaire faisait toujours l'objet d'une manifestation locale, accompagnée d'une distribution de matériel promotionnel à destination du public.

d'équipements touristiques de premier ordre ; elle doit maintenant veiller à la relation humaine, à « l'affectif ». D'autant que les principales déceptions émises par les vacanciers se concentrent sur le laisser-aller, le manque d'ouverture, la méconnaissance des langues. Des reproches qui atteignent les professionnels des loisirs et des transports, mais aussi les commerçants, fonctionnaires, entreprises de services, voire l'ensemble de la population.

Pour forger progressivement une autre image de la France dans le regard des autres, il faut développer un climat d'échanges, de dialogue, créer une chaîne de gens accueillants. L'opération « Bonjour » vise à coordonner toutes les actions destinées à faciliter et agrémenter les séjours en France. Son efficacité suppose que tous les professionnels du tourisme et des transports se sentent partie prenante d'un véritable réseau « Bonjour ».

Hélène Cybèle

COMPRÉHENSION GLOBALE

Après avoir souligné les éléments formant le circuit de lecture de ce texte, répondez aux questions suivantes :

1. À qui s'adresse cet article :
– aux professionnels du tourisme ?
– aux vacanciers ?
– à l'ensemble de la population française ?

2. À qui s'adresse l'opération « Bonjour » ?

3. Quel est le but de cet article :
– décrire la situation du tourisme français ?
– préparer les professionnels à relever, ensemble, de nouveaux défis ?   *challenge*

4. Qui édite *Équipement magazine* :
– Une institution relevant du service public ?
– Un organisme privé ?

2 **Êtes-vous d'accord avec les présentations suivantes ?**

1. Dans son article, Hélène Cybèle montre l'intérêt de l'opération « Bonjour » pour l'ensemble des professionnels du tourisme et des transports.

2. Dans son article, Hélène Cybèle montre qu'un tourisme mieux pensé peut être positif à la fois sur le plan économique et humain.

3 **Étudiez la façon dont l'auteur expose son point de vue.**

atout – advantage, asset
– trump card.

but – goal.

1. Reformulez les points annoncés dans les deux paragraphes d'introduction :
– Quel est l'atout majeur de la France ?
– Quelle priorité convient-il maintenant de développer ?
– Quel est le but de l'opération « Bonjour » ?

2. Où sont développés ces points ?
– Résumez l'idée exposée dans le 3e paragraphe.
– Résumez l'idée exposée dans le 4e paragraphe.

3. En conclusion, (5e paragraphe), l'auteur propose une action. Quelle est-elle ?

4. Relisez le texte et relevez :
– les atouts dont dispose la France,
– les problèmes auxquels on doit faire face,
– les moyens pour agir,   *to act*
– le but recherché.

PRÉSENTATION ORALE

4 **Préparez le plan de votre intervention**

Voici un plan-type d'intervention :

Présentation : donnez la source, l'année, le nom de l'auteur, le titre et le thème général de cet article.

Problématique : formulez la problématique posée par l'auteur.

Proposition : exposez les solutions envisagées par l'auteur.

Transition : donnez votre propre point de vue et présentez votre second point (cf. exercice 5).

Discussion sur le thème : exprimez votre opinion personnelle sur le thème choisi.
Conclusion.

Pour vous aider, complétez les énoncés suivants :

1. Présentation : *ministère, 11, public, objectifs, un an, opération.*

Dans un article de la revue du ministère de l'Aménagement du Territoire, de l'Équipement et des Transports paru en 1995, une journaliste présente les .... d'une .... lancée par ce même .... depuis .... en partenariat avec .... sociétés privées ou relevant du service ....

2. Problématique : *efforts, patrimoine, concurrence, considérable, malaise, destinations, industrie, accueillis, économie.*

La qualité du ……… et des infrastructures, l'attrait ……… qu'exerce la France vis-à-vis des touristes français et étrangers, les bénéfices que l'……… touristique rapporte à l'……… nationale ont peut-être fait croire aux Français qu'ils n'avaient plus d'……… à faire dans ce domaine. Or, deux éléments bousculent cette certitude : premièrement, la ……… devient de plus en plus redoutable, deuxièmement les touristes se plaignent d'être mal ………

Le but recherché par les Français étant de rester l'une des premières ……… touristiques mondiales, il leur faut agir sur ce ………

3. Proposition : *accueil, relations, vacanciers, message, réseau, professionnels.*

Que peut-on faire ?

La réponse du ministère est simple : il faut améliorer les ……… humaines entre les ……… du tourisme et des transports, et les ……… C'est pour faire passer ce ……… qu'est lancée l'opération « Bonjour », ……… d'initiatives visant à faire exister un véritable ……… des voyageurs.

4. Transition : *méthode, premiers, comportement, atteindre.*

Ce texte rappelle très clairement l'objectif du tourisme français, rester parmi les ……… mondiaux, et les moyens engagés pour ……… ce but.

Je me demande simplement si la ……… utilisée parviendra à modifier réellement le ……… des Français. Ceci me permet de faire la transition avec mon second point.

DISCUSSION AUTOUR DU THÈME

5 **Pour exprimer une opinion personnelle en relation avec le thème 2 : se déplacer.**

Sans perdre le texte de vue :

1. Notez toutes les idées qui vous viennent à l'esprit sur le thème : accueil, tourisme et déplacements.

2. Dégagez un problème que vous formulerez en une ou deux phrases.

3. Proposez une solution pour remédier à ce problème et quelques arguments.

4. En conclusion, dites ce que cette réflexion vous a apporté.

6 **Préparez votre entretien avec le jury.**

1. Expliquez les termes suivants :
   – tourisme vert
   – le laisser-aller

2. Discutez les affirmations suivantes :
   – « Pour forger progressivement une autre image de la France dans le regard des autres, il faut (…) développer une chaîne de gens accueillants. »
   – Lorsqu'il se déplace, le touriste change non seulement d'endroit mais également de point de vue sur sa propre culture. Le déplacement, c'est donc la découverte de soi-même par la rencontre avec les autres.

Aidez-vous des formules linguistiques suivantes :

   1. – Le terme « tourisme vert » fait référence à la prise de conscience actuelle des questions écologiques. Pour moi, pratiquer le tourisme vert signifie …
   – Lorsqu'on dit d'une personne qu'elle se laisse aller, c'est qu'elle ne …

   2. – Je suis entièrement opposé à cette manière de formuler les choses. Pourquoi ? Et bien …
   – Cette affirmation correspond bien à ma vision du voyage ; en effet ………

JE ME SOUVIENS...

ESPACE SOCIÉTÉ

● LEXIQUE – MODALISATION

1 Cherchez dans le texte.

Relisez le texte « Inquiétudes et raisons d'espérer », page 21 de votre manuel,
Dans le premier paragraphe relevez :

1. les mots à charge négative : *difficile, désarroi* ...

....

....

....

2. quatre modalisations d'atténuation portant sur des verbes : *n'est pas fait pour étonner...*

....

....

....

....

....

....

● HYPOTHÈSES

2 Qu'est-ce qui pourrait se produire ?

Reportez-vous à l'interview de l'abbé Pierre et faites des hypothèses pour
compléter les phrases. Choisissez parmi les idées suivantes :
  – faire jouer la solidarité
  – s'intéresser davantage à la misère
  – avoir moins d'exclus
  – lancer de grands chantiers pour faire reprendre le travail
  – avoir moins peur du chômage
  – avoir moins de problèmes

1. Si les Français manifestaient leur solidarité, ...

....

2. Si on n'avait pas de crise économique, ...

....

3. Si ceux qui peuvent agir ne se taisaient pas, ...

....

4. Si l'Europe se réveillait, ...

....

5. Si le travail reprenait, ...

....

6. Si le pouvoir n'écoutait pas l'opinion du plus grand nombre, ...

....

● À CONDITION QUE
+ SUBJONCTIF

3 **Imitez !**

Complétez les phrases sur le modèle suivant :

Le dernier chic pour les parachutistes était de sauter le plus bas possible, à condition que ce soit au-dessus d'une ville.

1. Le comble du plaisir pour les sportifs, était ....

....

2. Le plus spectaculaire pour les cadres, ...

....

3. Le plus « branché » pour les employés de bureau, ...

....

4. Le dernier chic pour les vedettes, ...

....

● PRONOMS RELATIFS

4 **Jouez avec les formes.**

En vous référant au texte « Exit le Paramount Bastille », p. 24 de votre manuel, complétez les groupes nominaux suivants avec une proposition relative et terminez la phrase en accord avec le texte.

*Les monstres **auxquels** ressemblaient les pelleteuses se mirent en marche.*

1. Les attaques ....

....

2. Le fracas ....

....

3. La terrasse ....

....

4. Les débris ....

....

5. La façade ....

....

● AVANT QUE…
APRÈS QUE…
AVANT DE…
APRÈS AVOIR…

5 **Imaginez ce qui s'est passé avant et après.**

Mes amis ont perdu leurs économies lors du krach boursier.
→ *Avant que le krach ne survienne, ils avaient fait des économies.*
→ *Après avoir perdu près de la moitié de leur argent, ils ont revendu leurs actions.*

1. Jean-Paul Goude a mis en scène le défilé du bicentenaire sur les Champs-Elysées.

....

....

2. La France a gagné la coupe Davis en 1992. ....

....

....

3. Le mur de Berlin est tombé en 1989. ....

....

4. L'aile Richelieu du Grand Louvre a été inaugurée en 1993.

....

....

ESPACE LANGUE ────────────────────

● LE PASSÉ SIMPLE

1 **Repérez-les.**

Relisez le texte « Exit le Paramount Bastille », page 24 de votre manuel.
Relevez les passés simples. À quels groupes de la conjugaison appartiennent-ils ? Quelles sont les marques de ces groupes ?

....
....
....
....
....
....

● LA RÉFÉRENCE TEMPORELLE

2 **Quelle est la référence temporelle ?**

Lisez les phrases suivantes et dites si la référence temporelle est (1) le moment où on parle ou (2) un moment passé.

Il y a deux mois qu'il travaille. (1) ↓ présent
Ça faisait deux mois qu'il travaillait. (2)
En décembre, il aura travaillé deux mois. (1)

1. Une heure après, il était déjà au travail.   2

2. C'est ce jour-là que je l'avais rencontré.   2

3. Dans un mois il aura vingt ans.   1

4. Elle se repose depuis deux mois. → présent   1

5. La veille au soir, il discutait avec son ami.   2

6. Il a beaucoup travaillé cette année.   / 2 x

7. J'ai fini dans cinq minutes.   / 2 x

8. Elle ne l'avait pas vu depuis un an. → pqp.   2

9. Vers six heures, il est sorti de chez lui.   / 2

10. Il serait bien allé voir le défilé, mais il était malade.   2
conditionelle.

● LE PASSÉ SIMPLE

3 **Points de repère.**

Relisez le tableau « Points de repère », page 20 de votre manuel. Sélectionnez les événements qui vous paraissent les plus importants et rédigez un texte en utilisant des temps du passé.

En 1986, la droite gagna les élections législatives. Ce fut le début de la cohabitation ....

....
....
....
....
....
....
....

● EMPLOI DES TEMPS

4 **Le travail et l'argent.**

Lisez le texte suivant et mettez les verbes entre parenthèses au temps qui convient.

On peut dater très précisément la fin des années hystériques en octobre 87, quand les bourses du monde entier (s'effondrer) *se sont effondrées*. Adieu l'imposture de « l'argent valeur moteur », le mythe du « fric c'est chic », et du « coup » qu'on (réussir) *réussissait* avec cynisme et un monument de mépris pour ces « nuls » qu'on (aller) *allait* absorber, tout ça s'écroule, poudre aux yeux, folie hallucinante. À la télé, on (voir) *voyait* même des émissions nous apprendre à « gérer » *to manage* – mot clé de l'époque – son portefeuille, où l'on (découvre) *découvrait* effaré, qu'il (falloir) *fallait* « gagner », parce que c'(être) *était* « la guerre » ! On (se souvenir) *se souvenait / se souvient* de Tapie et des « entrepreneurs », mais pas d'un écrivain. Décidément, années honteuses ! *vraiment*

pour le valeur phonétique

Bernard Tapie

● CONCORDANCE DES TEMPS

5 **Rapportez ce qu'on vous a dit des années 80.**

Reportez-vous au texte « Le temps du chacun pour soi », page 22 de votre manuel.

On m'a dit que la maison individuelle avait terrassé l'habitat collectif...

....

....

....

....

....

....

....

....

● VALEUR DES TEMPS DU PASSÉ

6 **Quelles valeurs ont ces temps ?**

Dites si les imparfaits des phrases qui suivent expriment :
– la répétition dans le passé (R) ;
– une circonstance (Ci) ;
– un état (E) ;
– une condition (Co) ;
– un souhait (S) ;
– un regret (Re).

1. Quand on sortait (......), on mettait (......) une cravate avec des jeans.

2. On méprisait (......) « la télé pour tous ».

3. On prenait (......) son petit déjeuner à midi.

4. Si ce temps-là pouvait (......) revenir !

5. Il n'y avait pas (......) de plaisir sans douleur.

6. Si on n'avait pas (......) démoli le Paramount Bastille, on n'aurait pas pu construire le nouvel opéra.

7. Si seulement on n'était pas (......) si individualistes !

ESPACE DOCUMENTS

Faire un exposé

 A5 Oral 2 : Exposé sur un thème, dans une perspective comparatiste.
Analyse et commentaire d'un document court et comparaison avec la culture d'origine.
Thème 5 : Les pratiques culturelles.

Nature de l'épreuve et savoir-faire exigé :

1. Savoir mettre en relation un trait caractérisant la culture française avec un trait équivalent dans votre culture d'origine.
2. Relativiser cette mise en relation, c'est-à-dire préciser ce qui est comparable et ce qui ne l'est pas (par exemple, la Sécurité sociale française n'a peut-être pas d'équivalent exact dans votre société d'origine).
3. Illustrer le propos à l'aide d'exemples pris, si possible, dans les deux cultures.
4. Présenter un exposé cohérent et articulé autour d'un plan.

COMPRÉHENSION GLOBALE

1 **Parcourez le circuit de lecture (voir p. 8) puis trouvez :**

– Qui écrit ?
– Dans quel type de presse :
un quotidien d'information ? un magazine culturel hebdomadaire ?
– À quel moment de l'année ? de la décennie ?
– Dans quel but : décrire un fait de société ? le dénoncer ? en proposer une interprétation ? prouver quelque chose ?

COMPARAISON

2 **Étudiez le point de vue de l'auteur.**

1. Relevez les termes qui montrent que l'auteur ne se reconnait pas dans les tendances qu'il dénonce.
2. Selon vous, l'utilisation du passé simple a pour but :
   – de montrer que cette époque est révolue ?
   – de donner un style littéraire à ce texte ?

3 **Isolez le trait culturel que vous comparerez.**

1. Classez les comportements des Français selon qu'ils s'expriment par l'achat de biens de consommation, l'invention de modes ou l'apparition de nouvelles habitudes.
2. Quel trait culturel allez-vous traiter :
   – l'individualisme ?
   – le goût de la solitude ?
   – le désir de se faire remarquer ?

4 **Élaborez une comparaison.**

1. Reprenez votre classement des comportements : est-ce qu'ils correspondent à des phénomènes équivalents dans votre pays pour la période étudiée ?
   – Si oui, commentez votre comparaison en mettant l'accent sur les points communs entre ces comportements ;
   – Si non, commencez votre comparaison en expliquant les différences.
2. Trouvez des exemples concrets pour illustrer vos propos.

LE TEMPS DU « CHACUN POUR SOI »

Ce fut chacun pour soi. En huit ans, la maison individuelle terrassa l'habitat collectif : 9 millions de toits privés, soit 54 % du parc. La France devint pavillonnaire avec sa pelouse et son chien. L'objet le plus vendu fut le baladeur, diffusé à partir de 1981, qui permit aux individus de s'isoler, de se couper des autres même dans les lieux publics. Les mots « courants » et « pour tous » furent bannis. On méprisa l'école, la radio, la télé « pour tous », le pain et le vin « ordinaires ». Un moyen facile d'être différent fut vite mis au point : le décalage. En gros, il s'agissait de faire comme tout le monde mais pas au même endroit ni en même temps ou alors par morceaux : on mit une cravate avec des jeans, on prit des vacances hors saison et on resta en ville le dimanche en ayant soin de prendre son petit déjeuner à midi.

À l'image de sa vie privée, l'individualiste se prit d'une passion pour le « clip » et le « zapping », c'est-à-dire l'équivalent vidéo du rêve.

Texte inspiré de l'article d'Alain Schifres, paru dans *Le Nouvel Observateur* du 29-12-1988 au 4-1-1989.

hebdomadaire d'information générale National

PRÉSENTATION ORALE

5 **Nuancez votre comparaison.**

- Que signifie la notion que vous avez retenue (par exemple individualisme) ?
- Est-ce que ce trait caractérise seulement la décennie 80-90, ou bien est-ce une caractéristique plus profonde ?
- Est-ce que ce terme caractérise les *mêmes* comportements en France et dans votre culture ?

6 **Faites le plan de votre intervention et rédigez :**

- l'introduction,
- quelques tournures de transition,
- la conclusion.

Aidez-vous des formules linguistiques suivantes :

Ce comportement est-il comparable à celui de nos concitoyens ? *realise*

- Lorsqu'on compare les années 80 en France et en ......, on s'aperçoit que les Français ne sont pas moins individualistes que les .... Chez les uns comme chez les autres, on porte le même baladeur sur les oreilles...
- *Relativiser* Pourtant, selon moi, ces ressemblances de surface cachent de profondes différences : c'est ce que je vais montrer maintenant...
- J'espère donc vous avoir démontré que, contrairement aux Français, mes compatriotes supportent mal d'être isolés du groupe : même s'ils ......, ils ... *concitoyens*

UNE SOCIÉTÉ À PLUSIEURS VITESSES

ESPACE SOCIÉTÉ

● COMMENTAIRE DE SONDAGE

1 Les raisons du bonheur.

Selon une enquête réalisée en septembre 1995, 95 % des Français interrogés se disent heureux d'être français. Le tableau ci-dessous indique les raisons importantes qui peuvent faire dire qu'on est heureux d'être français.

⇨ Les grandes raisons	Importante	Pas importante
Les valeurs de la France : la liberté, l'égalité, la fraternité	93 %	6 %
Le fonctionnement de la démocratie	87 %	11 %
Les institutions françaises	85 %	12 %
L'histoire, le passé de la France	80 %	19 %
Le rayonnement de la france dans le monde	78 %	21 %

1. En vue de publier un court article, commentez les résultats de ce sondage et donnez votre point de vue.

2. Donnez votre opinion sur chacune des raisons invoquées en pensant à votre propre pays. Peuvent-elles être source de bonheur ?

3. Quelles raisons donneriez-vous d'être heureux en tant que citoyen(ne) de votre pays ?

....
....
....
....
....
....
....

● DÉFINITIONS

2 Des catégories de Français.

Imaginez des définitions pour décrire les catégories de personnes suivantes.

Les heureux : Les heureux sont des riches qui n'ont pas de soucis.

1. Les nouveaux riches ....
....

2. Les femmes surmenées ....
....

3. Les gens stressés ....
....

4. Les petits fonctionnaires ....
....

MISE EN VALEUR
PAR LA NOMINALISATION
C'EST... + PRONOM RELATIF

3 Mettez en valeur.

Nominalisez le deuxième verbe et mettez le nom ainsi formé en valeur.

Les exclus voudraient que les autres les respectent.
→ *C'est le respect des autres que voudraient les exclus.*

1. Les râleurs aspirent à être <u>reconnus</u>.

....

2. Les personnes retraitées redoutent qu'on <u>diminue</u> leur pension.

....

3. Les frustrés ne se consolent pas d'<u>avoir perdu</u> le pouvoir.

....

4. Les bosseurs rêvent de <u>réussir</u> socialement..

....

5. Les libéraux craignent que les grosses sociétés les <u>absorbent</u>.

....

NOMINALISATION

4 Créez des titres.

On va ouvrir un nouveau restaurant. → *Ouverture d'un nouveau restaurant.*

1. On est en train de créer une nouvelle société de production cinématographique.

....

2. La situation des ouvriers a été améliorée.

....

3. Les salaires viennent d'être réajustés.

....

4. Ils perdent leur prestige.

....

5. Il faudra bientôt revaloriser les métiers manuels.

....

MISE EN VALEUR
PAR LE PASSIF

5 Dites-le autrement.

Mettez en valeur les mots soulignés en utilisant le passif.

La hausse des salaires transforme les habitudes de consommation.
→ *Les habitudes de consommation sont transformées par la hausse des salaires.*

1. L'information que donnent les médias influencent <u>l'opinion</u>.

....

2. L'éducation et la culture accentuent <u>les différences</u>.

....

3. Des gens différents n'utilisent pas <u>les mêmes objets</u> de la même façon.

....

4. Les ouvriers, surtout, achètent <u>des congélateurs</u>.

....

5. Tous apprécient également <u>les lave-vaisselle</u>.

....

● MISE EN VALEUR
  PAR LA SYNTAXE

6 **Mettez-les en valeur.**

Mettez en valeur les mots soulignés.

Il ne reconnaît plus <u>son village</u>.
→ *Son village, il ne le reconnaît plus.*

1. Pour bien vivre, il faut avoir <u>de l'argent</u>. .

....

2. On abandonne <u>les communes rurales</u>.

....

3. Les populations rurales se déplacent <u>vers les villes</u>.

....

4. De nombreux citadins se regroupent <u>dans des ensembles d'habitations</u> dans la campagne proche des villes.

....

ESPACE LANGUE

L'emploi des pronoms relatifs

● MISE EN VALEUR :
  UTILISATION DES RELATIFS
  OÙ, DONT

1 **Mettez en valeur les mots soulignés.**

Utilisez le présentatif *c'est*, suivi de *où* ou *dont*.

1. On ne court aucun risque dans cet <u>endroit</u>.

C'est un endroit ....

2. Il fait très chaud à ce <u>moment de la journée</u>.

....

3. Il faut tenir compte de cet <u>aspect</u>.

....

4. Les choses ne sont pas faciles à cette <u>époque</u>.

....

5. On parle beaucoup de cet <u>événement</u>.

....

● MISE EN VALEUR :
  LES PRONOMS RELATIFS
  COMPOSÉS

2 **Mettez en valeur les éléments soulignés.**

Utilisez le présentatif *c'est* puis un pronom relatif composé.

Je me suis référé à <u>ces événements</u>.
→ *Ce sont les éléments auxquels je me suis référé.*

1. Pendant <u>cette période</u>, bien des progrès ont été réalisés.

....

2. À cause de <u>ces problèmes</u>, l'entreprise n'a pas pu être menée à bien.

....

3. Sur <u>ces questions</u>, les opinions diffèrent. .

....

4. À propos de <u>ces projets</u>, les experts sont divisés.

....

5. Selon <u>ces rumeurs</u>, la situation va changer. .

....

● PRONOMS RELATIFS
COMPOSÉS

3 Complétez les phrases en utilisant des pronoms relatifs composés.

1. L'hiver 1953-54 est celui au cours .... l'abbé Pierre a commencé sa lutte en faveur des pauvres.

2. Les sans-abri et les mal-logés sont ceux pour .... il mène un vrai combat.

3. La peur du chômage est la raison pour .... la plupart des gens n'agissent pas en faveur des exclus.

4. L'Europe pourrait lancer de grands chantiers grâce .... de nombreux emplois seraient créés.

5. L'opinion publique est faite par la majorité des gens pour .... ne se pose pas le problème de la pauvreté.

● PRONOMS RELATIFS

4 Un article dont on parle.

Complétez le résumé suivant avec des pronoms relatifs simples ou composés.

Il s'agit d'un article dans .... sont présentés six catégories de Français, article pour .... on a réalisé une enquête .... a porté sur un échantillon de 150 professions. La première catégorie .... mentionne l'article est celle des exclus, ces gens .... les revenus n'atteignent pas le SMIC. Ce .... les râleurs, ... composent la deuxième catégorie, ne supportent pas, c'est d'être des mal-aimés. Ce .... les frustrés ne se consolent pas, c'est d'avoir perdu leur prestige. Ce à .... les bosseurs ne tiennent pas outre mesure, c'est la sécurité de l'emploi. Ce .... les pousse à travailler, c'est le gain et leur survie. Ce à .... tenaient les angoissés, c'était une situation prospère .... ils ont perdue aujourd'hui. Enfin, ce .... fait la force des gagneurs, c'est leur certitude de réussir et c'est la raison pour .... ils sont si confiants.

ESPACE DOCUMENTS

Faire un compte rendu écrit

 A5 Écrit : Compte rendu d'un texte.
Thème 1 : Travailler.

Nature de l'épreuve et savoir faire exigé :

1. Lire le document, c'est à dire :
  – repérer sa nature (article de journal, entretien, interview...) et sa fonction (analyser, dénoncer, prouver...),
  – identifier le point de vue de l'auteur (quelle est sa thèse) et son objectif (fonction du texte),
  – dégager le thème principal et l'organisation de l'ensemble (le plan général).

2. Sélectionner les informations essentielles et les reformuler par écrit :
  – de façon objective (en respectant le point de vue de l'auteur et sans commentaires personnels),
  – dans une langue personnelle (sans reprendre les expressions du texte à l'exception des mots-clefs),
  – brièvement (le texte du compte-rendu doit être environ trois fois plus court que le texte de départ),

- de façon organisée, c'est à dire à partir d'un plan (le même que celui du texte de départ ou un plan différent),
- de façon cohérente, c'est-à-dire en aménageant des transitions entre les différentes parties du compte rendu.

COMPRÉHENSION GLOBALE

1 **Numérotez les paragraphes du texte.**

2 **Lisez-le une première fois et soulignez son circuit de lecture.**
(cf. p. 8)

1. Observez les sept premiers mots de l'introduction et la conclusion.
D'après vous, sur quoi s'est appuyé Alain Lebaube pour écrire son article ?

2. Soulignez, dans le texte, les mots et les expressions entre guillemets, puis classez-les sous trois rubriques :
- termes techniques,
- paroles citées,
- valeurs que l'auteur ne partage pas.

3. Classez les expressions suivantes selon leur fonction dans le texte :
a) Il ne faudrait pas en déduire que   *d) Fondamentalement*
b) Il faut sans doute y voir   *e) Parce que*
c) D'évidence   *f) Désormais*
- annonce une cause : ......
- annonce un fait évident : ......
- annonce une réalité nouvelle : ......
- annonce une idée fondamentale : ......
- guide la compréhension des lecteurs : ......

4. Dans la dernière phrase de sa conclusion, l'auteur fait référence à un débat qui s'est engagé dans la société française. Quelle place veut-il prendre dans ce débat :
- le rôle d'un expert qui adopte une démarche scientifique en posant des hypothèses, en analysant des faits, puis en déduisant des prévisions pour l'avenir ?
- le rôle d'un commentateur qui propose une interprétation de la situation à partir de ses seules intuitions ?

COMPRÉHENSION DÉTAILLÉE

3 **Analysez l'introduction.**

Une introduction « parfaite » peut remplir quatre fonctions :
- **accrocher** l'intérêt du lecteur,
- contextualiser le texte à l'intérieur d'un **thème** plus général,
- poser la **problématique** de l'auteur, c'est-à-dire sa manière personnelle d'envisager un problème et ce pourquoi il écrit un texte,
- annoncer la **démarche** qui sera suivie dans le texte.

Est-ce que cette introduction remplit toutes ces fonctions ?
1. Première fonction : **l'accroche**
Dans la première phrase de ce texte, un fait est immédiatement suivi d'une explication. Qu'est-ce que cela apporte au lecteur pressé ?
2. Deuxième fonction : **le thème**
Si vous deviez classer ce texte dans un dossier général, ce dossier porterait quelle étiquette ?
- Le travail   - L'entreprise
- Les jeunes   - Changements sociaux

Le Monde, 11 Mai 1994.

La mutation du travail

Longuement questionnés, les jeunes étudiants ou diplômés ne sont plus attirés par de nombreux métiers, parce que ceux-ci ont en grande partie perdu leur image positive et valorisante. D'évidence, se diffuse un malaise des professions qui touche par exemple les médecins, les fonctionnaires, les professeurs, les militaires, les cadres et les chercheurs. Le processus de « tertiarisation » du travail[1] fait que l'emploi devient abstrait ou anonyme, qu'on n'en voit plus le produit, et que les salariés n'en tirent plus de fierté. Parce qu'ils n'ont plus l'impression que leur travail servira la cause du « progrès », les jeunes ne sont plus disposés à travailler dans n'importe quelles conditions, la menace du chômage n'ayant fait qu'aggraver ce jugement. À quoi bon ? Avant, on se sacrifiait au nom d'une idée supérieure selon laquelle les lendemains seraient, par les efforts individuels, meilleurs que la veille. Aujourd'hui, lorsqu'on n'est pas chômeur, on doute et, pis, on a peur que ses enfants le deviennent. Fondamentalement, cette interrogation pourrait annoncer la chute d' « un modèle culturel de la science et du développement » qui a si bien fonctionné jusqu'à la fin des « Trente Glorieuses[2] ».

Il ne faudrait pas en déduire un détachement par rapport au travail, qui « demeure un point de repère essentiel ». Mais, en revanche, il faut sans doute y voir une volonté de relativiser, qui amènerait à « redéfinir ce qui est l'utilité (…) du travail ». Un certain désenchantement se double parfois d'un repli sur soi et d'une attitude pragmatique « visant à la survie dans un monde considéré comme hostile », la relation avec le monde du travail étant composée d'attirance mesurée, et de répulsion dominée.

Désormais, également, l'entreprise ne s'apparente plus que très rarement à « une seconde famille ». Les jeunes ne ressentent plus aucun état d'âme pour changer d'employeur, ce sentiment étant d'ailleurs entretenu par les entreprises elles-mêmes qui multiplient les contrats à durée déterminée ou les stages au lieu de procéder à de vraies embauches. Deux conséquences s'ensuivent : l'attrait pour le multi-travail et le travail à temps partiel ; l'entreprise est assimilée à un simple prestataire qui fournit le service salaire. Ce qui n'interdit pas aux jeunes d'être sévères quand il s'agit de cerner le rôle plus large que l'entreprise devrait jouer dans la cité. Ils lui reprochent de ne pas tenir sa place dans la société ou s'inquiètent de la voir « faire du pseudosocial pour masquer les problèmes internes ». Critiques, ils estiment que l'entreprise cache sa vraie nature, qui consiste en « un centre de profit pour lequel les hommes ne sont que des ressources humaines ». Ils ont l'impression d'être mal considérés, « voire d'être trahis », et rejettent la culture d'entreprise lorsqu'elle est imposée artificiellement.

Cette prise de distance l'accompagne d'une redécouverte d'une vie en dehors de l'entreprise, qui entraîne une méfiance à l'égard de l'occupation du dirigeant trop absorbé, et dont les attributs (voiture de fonction, etc.) ne font plus rêver…

Ce que laissent entendre ces jeunes recoupe très largement les évolutions qui sont en train de se produire et dont les manifestations, encore à peine perceptibles, sont de plus en plus nombreuses. Après la période où l'entreprise a été portée au firmament, les Français s'étant réconciliés avec elle au détour des années 80, un mouvement inverse de désamour, voire de divorce est apparu avec la crise, la récession, et surtout le chômage des cadres. De crucial, le rapport au travail se distend, parce qu'une partie de la vie est ailleurs, y compris pour s'épanouir dans des activités non rémunérées qui sont considérées comme socialement utiles. La valeur accordée au travail change. Après avoir été au cœur de la vie en société, et seul en mesure d'accorder, avec un statut social, une véritable citoyenneté, il apparaît qu'il pourrait, à l'avenir, ne plus avoir cette place centrale. D'où, plus précisément, le débat engagé sur l'opposition entre la notion de plein emploi, rattachée au passé, et celle de la pleine activité, qui préfigurerait l'organisation future de la vie en société…

Alain Lebaube

---

1. *Tertiarisation du travail* : développement du secteur tertiaire (bureaux, services...) qui ne produit pas directement des biens de consommation.
2. *Trente Glorieuses* : période de plein emploi qui s'étend des années 50 aux années 70.

3. Troisième fonction : **Reformulez la problématique** de l'auteur en complétant les énoncés suivants :
  – Le problème posé par les jeunes :
  Le rapport au ...... est en train d'....... dans la société française : désormais on ne croit plus que travailler signifie participer au .... de la société.
  – La problématique proposée par l'auteur (sous forme d' hypothèse) :
  Cette évolution concrète annoncerait plus fondamentalement la ...... du modèle qui s'est imposé des années 50 aux années 70 : la croyance dans ...... et le ...... ferait place à une autre conception du ....

4 De l'introduction à la conclusion.

L'auteur a introduit sa problématique en fin d'introduction et il la précisera en fin de conclusion. Relisez les dernières phrases de l'introduction et de la conclusion et choisissez l'énoncé qui reformule le mieux la problématique de ce texte.

1. Cette mutation du travail est indépendante des profonds changements qui traversent l'organisation de la société.

2. Cette mutation du travail annoncerait de profonds changements dans l'organisation de la société elle-même.

5 Analysez la conclusion.

Une conclusion « parfaite » peut remplir quatre fonctions :

  – **synthétiser** les idées clés du texte,
  – **reformuler** clairement la thèse défendue par l'auteur,
  – **répondre** aux questions posées dans le texte,
  – **ouvrir** sur un autre texte.

Est-ce que cette conclusion remplit toutes ces fonctions ?

1. Première fonction : **la synthès**e des idées clés du texte.
L'analyse menée dans l'introduction et le développement fait référence à trois périodes : avant / aujourd'hui / demain.
Comment ces trois points de repère sont-ils repris dans la conclusion ?

2. Deuxième et troisième fonction : **la reformulation** de la thèse et **la réponse** aux questions posées dans le texte.
  – Finalement, en quoi consiste la mutation du travail ?
  On passe du plein emploi à la pleine activité. ❏
  On se détache du travail. ❏
  – Qu'annonce la mutation du travail ?
  L'organisation de la vie future en société. ❏
  L'avenir de l'entreprise. ❏
  – Si cette conclusion était une photographie du texte, serait-elle plus nette ou plus floue ?

3. Quatrième fonction : **l'ouverture** sur un autre texte.
Remplacez les points de suspension qui terminent la conclusion par l'une des formules suivantes :
  – Le débat est ouvert. ❏
  – Le débat est clos. ❏

4. Évaluez votre compréhension globale.
En analysant simplement l'introduction et la conclusion de cet article, vous avez compris 30 %, 50 % ou 80 % de l'information totale de l'article ?

6 Analysez le développement.

Dans son développement, l'auteur entre dans le détail du questionnaire auquel ont répondu les jeunes et il en cite des extraits pour prouver la validité de son hypothèse de départ. Reformulez les données qu'il expose.

1. Lignes 38 à 53 : Qu'est-ce que les jeunes sont en train de redéfinir :
  – l'utilité du travail ? ❑
  – eux-mêmes ? ❑
Cette redéfinition s'accompagne d'une crise de confiance vis-à-vis des entreprises et de leurs dirigeants.

2. Causes de cette crise : l'attitude des entreprises.
Lignes 54 à 64 : C'est parce que les entreprises .... que les jeunes perdent confiance en elle.

3. Conséquences : les jeunes se comportent différemment.
Quels sont les deux nouveaux comportements observés ?
Lignes 51 à 88 : Désormais, les jeunes considèrent l'entreprise comme
....
Lignes 89 à 96 : Par ailleurs, ils découvrent qu'il y a aussi une vie ....

4. Synthétisez les évolutions en cours en remplissant le tableau :

	Avant	Aujourd'hui	Demain
Valeurs	......	......	......
Comportements	......	......	......

RÉDACTION

7 Rédigez votre compte rendu en inversant le plan du texte.

1. Le plan du texte :
  – **Hypothèse :** L'interrogation actuelle formulée par les jeunes sur l'utilité du travail annoncerait la chute d'un modèle dans lequel travailler c'était participer au progrès et au développement social.
  – **Analyse de quelques éléments à valeur de preuves :** La critique des jeunes vis-à-vis de l'entreprise et de ses dirigeants est profonde. Par ailleurs les jeunes découvrent qu'il y a une vie active en dehors du travail salarié.
  – **Déduction :** On peut déduire de tout cela que la société de demain s'organisera autour de la pleine activité et non plus sur la base du travail.
2. Élaborez votre propre plan et écrivez votre compte rendu en mettant en valeur la cohérence logique de votre raisonnement (200 à 250 mots).

Aidez-vous des formules linguistiques suivantes :
  – **Pour rappeler des faits admis par tous :** on sait bien que... ; il est bien évident que... ; de toute évidence ... ; il est admis que... ; on s'en souvient : ....
  – **Pour introduire une conséquence :** c'est pourquoi... ; par conséquent... ; d'où le résultat suivant:.. ; on peut en déduire que.... ; il s'ensuit que .....
  – **Pour introduire une cause :** en raison de... ; c'est parce que... ; à la suite de... ;
  – **Pour annoncer un raisonnement :** on verra que... ; on montrera que... ;
  – **Pour réfuter un argument :** il n'en est rien ; on se tromperait si l'on pensait que... ; il ne faut pas en conclure que... ; il ne faut pas en déduire que...

ESPACE SOCIÉTÉ

● CONCORDANCE DES TEMPS

1 Elle m'a dit...

Rapportez ces paroles qui ont été prononcées il y a plusieurs jours.

Mon ami m'a dit : J'aime lire les journaux au lit.
→ *Mon ami m'a dit qu'il aimait lire les journaux au lit.*

1. Ma femme adore le XVe arrondissement.
Mon ami m'a dit ....

2. Malgré cela, nous avons déménagé il y a huit jours.

....

3. Nos meilleurs amis nous ont aidés tout le week-end.

....

4. Nous avons dû confier notre chat à des voisins pour pouvoir être tranquilles.

....

5. Maintenant que nous sommes installés, nous allons nous équiper en matériel électronique.

....

● MOYENS LINGUISTIQUES
DE LA COMPARAISON

2 La bourgeoisie à travers le temps

Dans le texte suivant, relevez les moyens linguistiques utilisés pour comparer les années qui ont suivi la « révolution » de Mai 68 et l'époque actuelle.

Après Mai 68, la bourgeoisie était rejetée, ridiculisée. Elle est maintenant recherchée, donnée en modèle. À commencer par les anciens révoltés de Mai 68. Ils font ce qui les aurait fait mourir de honte il y a 30 ans à peine : fréquenter les réunions mondaines, porter des vêtements haut de gamme, avoir un téléphone de voiture, aller à l'Opéra. Alors que l'étiquette « bourgeois » était considérée comme une marque infamante, elle est désormais revendiquée. À la différence de leurs parents, les jeunes d'aujourd'hui sont prêts à jouer le jeu de la société. On s'était endormi révoltés, on se réveille avec un besoin de valeurs sûres.

Lexique : ....   **Structures :** ....

....

....

....

Articulateurs : ....   **Temps :** ....

....

....

....

● COMPARAISON

3 Une consommation en hausse ?

1. Comparez les trois diagrammes ci-dessous qui détaillent la consommation des Français en 1985, en 1993 et la consommation prévue en l'an 2000.

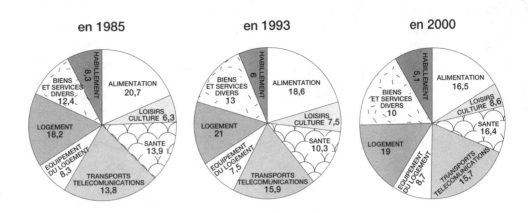

2. Présentez les contenus des tableaux. Comparez les consommations de 1985 et 1993, puis confrontez-les aux prévisions faites pour l'an 2000.

Utilisez une structure différente chaque fois : *alors que, il y a dix ans, maintenant, au lieu de...*

Les besoins des Français, reflétés dans les statistiques de consommation, croissent dans des proportions différentes. C'est ainsi qu'en 1985 les deux postes les plus importants, l'alimentation et le logement, représentaient 39 % des dépenses alors qu'en 1993.... Cependant, en l'an 2000...

....

....

....

....

....

....

....

....

....

● EXPRESSIONS USUELLES

4 Quels groupements pouvez-vous faire ?

Associez des mots aux quatre noms suivants pour former des expressions usuelles.

Vacances ➞ *vacances d'été, de Noël, de rêve. Partir/aller en vacances, prendre des vacances, interrompre ses vacances. Centre/colonie/station de vacances.*

1. voyages : ....

....

....

2. sport : ....

....

3. événement : ....

....

4. fête : ....

....

● COMPARAISON

5 **Qu'est-ce que ça dénote ?**

1. Faites des remarques sur le langage et le comportement du client et du vendeur : lexique, syntaxe, comportement non verbal (allure et attitudes corporelles).

....
....
....
....

2. Imaginez le dialogue entre le deuxième client et l'employé.

....
....
....

6 **Cocon et apprentissage des langues.**

Comment est organisée cette présentation de la méthode Intercom ?

On peut désormais apprendre les langues chez soi, par téléphone ou Minitel. Plus de deux cents professeurs travaillent ainsi chez eux pour Intercom. Ils sont les premiers étonnés des résultats. Auparavant, 40 % de leurs stagiaires « classiques » abandonnaient leur cours au bout de trois mois. Avec le téléphone, ils ne sont plus que 2 %. « Nous avons beaucoup moins d'échecs. À distance, les gens abandonnent leur peur. Ça ne permet pas seulement de gagner du temps mais, étrangement, de communiquer plus facilement. »

1. Trouvez la phrase clef (qui contient l'idée centrale ou directrice).

....

2. Trouvez deux structures parallèles qui marquent une opposition.

....

....

3. Qu'est-ce qui justifie l'affirmation de la phrase clef ?

....

....

4. Trouvez une indication de l'importance prise par les cours par téléphone.

....

....

ESPACE LANGUE

Les cas d'emploi du subjonctif

- RÉVISION DES FORMES
  IRRÉGULIÈRES

1 **Que souhaitez-vous à vos amis ?**

Utilisez *tu* puis *vous*.

être en bonne santé – aller bien – faire de beaux rêves – avoir le confort – pouvoir voyager – savoir faire la part des choses – ne pas vouloir faire de folies.

Je souhaite que tu ....

....

....

....

....

....

....

- EMPLOIS DU SUBJONCTIF
  DANS LES SUBORDONNÉES

2 **Mettez le verbe à la forme qui convient.**

1. Je ne pense pas qu'il y *parvienne* (parvenir).

2. Il faudrait que nous *réagissions* (réagir).

3. Elle veut que vous y *alliez*. (aller).

4. Il est important que vous le *sachiez* (savoir).

5. Nous regrettons qu'il *fasse* si froid (faire).

6. Si je fais tant d'efforts, il faut que ça en *vaille* la peine (valoir).

7. Il serait surprenant qu'il *veuille* le faire (vouloir).

8. Je ne crois pas qu'il *faille* s'inquiéter (falloir).

● CONJONCTIONS SUIVIES
DU SUBJONCTIF :
BIEN QUE, QUOIQUE,
POUR QUE, AFIN QUE,
DE PEUR QUE,
À CONDITION QUE,
À MOINS QUE, POURVU QUE,
EN ATTENDANT QUE…

3 **Mettez le verbe à la forme qui convient.**

1. Bien que les hommes .... (faire) de plus en plus le ménage les femmes travaillent toujours plus qu'eux en moyenne.

2. À condition que les femmes .... (s'occuper) du linge, les hommes veulent bien partager le travail domestique.

3. (À moins que) les conditions de vie .... (se transformer) radicalement, les femmes continueront à s'occuper de leur maison.

4. En attendant qu'une allocation pour les femmes au foyer leur .... (être) offerte, les femmes continueront à travailler.

5. Pour que les consommateurs .... (avoir) envie d'acheter des produits, il faut que la publicité les interpelle.

6. À condition que leur lieu de vie .... (être) bien équipé, les gens préfèrent rester chez eux.

7. Ils ont quitté la région de peur qu'on (ne) les .... (soupçonne) et avant qu'on (ne) les .... (interroger).

8. Partez avant qu'il (ne) .... (être) trop tard.

● DIFFÉRENCE D'EMPLOI ENTRE
SUBJONCTIF ET INFINITIF

4 **Subjonctif ou infinitif ?**

1. (partir) Elles ont envie ....

Elles ont envie que leur copain ....

2. (prendre) Nous voulons .... nos responsabilités.

Nous voulons que tu .... tes responsabilités.

3. (parler) Je désirais te ....

Je désirais que vous me ....

4. (écrire) Tu te réjouis de leur ....

Tu te réjouis qu'ils t' .... écrites.

5. (dire) Ça m'ennuie de te .... ça.

Ça m'ennuie que tu me .... ça.

6. (échouer) J'ai peur d' ....

J'ai peur que tu ....

7. (faire) Je serais heureux de .... leur connaissance.

Je serais heureux que tu .... leur connaissance.

● DIFFÉRENCES D'EMPLOI

5 **Subjonctif ou indicatif ?**

1. (venir) Je pense qu'il ....

Je ne pense pas qu'il ....

2. (réussir) Vous croyez que je ....

Vous ne croyez pas que je ....

3. (valoir) Je suis sûre que ça en ………… la peine.

Je ne suis pas sûre que ça en ………… la peine.

4. (aller) Il est certain que nous ………… en Espagne.

Il n'est pas certain que nous ………… en Espagne.

5. (savoir) Je suis convaincu que tu le …………

Je ne suis pas convaincu que tu le …………

6. (être) Il est persuadé que c'………… important.

Il n'est pas persuadé que ce ………… important.

● EMPLOIS DU SUBJONCTIF

✓ **6** **Faites des phrases.**

Utilisez *c'est que*....

Son ambition / sa famille heureuse
→ *Son ambition c'est que sa famille soit heureuse*

1. L'essentiel / mener ses projets à bien.

....

2. Leur regret / leurs enfants pas près d'eux.

....

3. Son désir / ses parents les rejoindre.

....

4. L'important / ses enfants faire de bonnes études.

....

5. Le mieux / vous l'aider.

....

6. La solution idéale / avoir un appartement près de son bureau.

....

7. Le but / les gens pouvoir partir à la retraite à 55 ans.

....

● LE SUBJONCTIF PASSÉ

7 **C'est du passé...**

Vous êtes venus. J'en suis content.
→ *Je suis content que vous soyez venus.*

1. Elle a terminé d'écrire sa thèse. J'en suis heureuse.

....

2. Vous ne nous avez pas répondu. Nous en sommes étonnés.

....

3. Tu n'a pas suivi mes conseils. J'en ai peur.

....

4. Vous n'avez pas eu d'augmentation. Je le regrette.

....

5. Vous vous êtes mal comprises. Je le crains.

....

6. Ils ont trouvé du travail. Je m'en réjouis.

....

5 LA FAMILLE, UN REFUGE ?

ESPACE SOCIÉTÉ

- DISCOURS INDIRECT

1 C'est avéré !

Redonnez, au discours indirect, les informations contenues dans le tableau sur la famille page 61 de votre manuel.

– Mariages : *Les statistiques indiquent que, en 1972,* ....
....

– Bébés : *Il est certain que* ....
....

– Divorces : *On a calculé que* ....
....

– Unions libres : *Il est démontré que* ....
....

– Remariages : *Il est avéré que* ....
....

- MODALISATION

2 Vous n'en êtes pas absolument certain !

Reformulez le résultat des statistiques de la page 61 de votre manuel avec prudence, soit en le présentant comme une simple possibilité, soit en prenant la précaution de citer vos sources d'information.

Le mariage serait en chute libre. Il n'y aurait plus que... Selon un sondage...

....
....
....
....
....
....

- VALEUR DES TEMPS DU PASSÉ

3 Quelle valeur ont les temps ?

Relisez le texte « Labeurs de femme », p. 64 de votre manuel, et donnez la valeur des temps : constatation d'un état, vérité générale, action passée, action habituelle.

« *Les femmes ont toujours participé aux processus de production* ».
→ *action passée s'étant poursuivie jusqu'au présent et ayant une valeur présente. La continuité est marquée par l'adverbe « toujours ».*

1. On vaquait à ses occupations.

....

2. Les problèmes de garde sont donc vieux comme le monde.

....

3. On vivait et travaillait au même endroit.

....

4. L'élevage et l'éducation étaient répartis.

....

5. La situation a empiré.

....

6. L'image de la bonne mère était née.

....

• INFÉRENCE

4 **Enrichissez votre vocabulaire.**

Dans le texte « Labeurs de femme », retrouvez le sens des mots ci-après. Donnez-en un synonyme ou une explication sans consulter votre dictionnaire. Dites quels indices vous ont permis de faire votre hypothèse de sens (similarité avec un mot de notre langue, situation, contexte, dérivation…).

	Synonymes	Indices
Hormis	*excepté, en dehors de, sauf*	*contexte (presque toutes les femmes, sauf celles de milieux riches)*
1. vaquer à ses occupations	....	....
2. dévolu à	....	....
3. inculquer le savoir	....	....
4. empirer	....	....
5. exclure	....	....
6. rejeton	....	....
7. culpabiliser	....	....

• LEXIQUE

5 **Un vocabulaire révélateur.**

Dans le texte « Un beau rêve », page 65 de votre manuel, relevez les mots et les expressions qui contribuent à créer l'impression de :

1. modestie : ....
(4 expressions) ....

2. bien-être tranquille : ....
(3 expressions) ....

• EXPRESSION DU FUTUR

6 **Bientôt, ils seront mariés…**

Relisez une nouvelle fois le texte « Un beau rêve ». Récrivez-le en le situant dans l'avenir.

Bientôt, ils seront mariés….

....

....

ESPACE LANGUE

Le discours indirect

● CONCORDANCE DES TEMPS

1 **Racontez cette histoire au style indirect.**

« Ils habitent Paris depuis longtemps. Ils y sont venus après leur mariage. Ils y ont trouvé du travail et un appartement. Ils ont eu deux enfants. Les enfants sont allés à l'école la plus proche. Ils y ont fait de bonnes études. Ils sont partis travailler en province. Mais ils reviendront habiter Paris. Ils y retrouveront leurs parents et leurs amis. »

Une amie m'a dit..

....

....

....

....

....

....

....

....

....

● MODIFICATION DES
EXPRESSIONS DE TEMPS

2 **Rapportez ces phrases au passé.**

Commencez les phrases par : « On m'a répondu que... » ou une expression équivalente au passé.

1. Tous les travaux seront terminés dans huit jours.

....

2. Tout a été fait selon les instructions.

....

3. Tu pourras emménager la semaine prochaine.

....

4. Ta famille pourra s'installer avec toi.

....

5. Tes enfants seront acceptés à l'école du quartier.

....

6. Tu as eu beaucoup de chance de trouver cette maison.

....

● DISCOURS INDIRECT

3 **Racontez votre interview.**

Vous venez d'interviewer un des 150 000 pères qui, en France, élèvent seuls leurs enfants.

Vous lui avez demandé, entre autres :
– Pourquoi élevez-vous vos enfants seul ?
– Comment vous êtes-vous organisé pour élever vos enfants ?
– Quels ont été, ou sont, vos problèmes majeurs ?
– Croyez-vous que vos enfants soient heureux ?
– Si vous deviez prendre cette décision maintenant, choisiriez-vous encore d'élever seul vos enfants ?

Rapportez vos questions et les réponses du père au style indirect.

Je lui ai demandé...

....

....

....

....

....

● MODIFICATIONS
DES PRONOMS,
DES ADJECTIFS ET
DES PRONOMS POSSESSIFS

4 Transformez selon l'exemple.

Il m'a dit : « Tu dois travailler pour gagner ta vie. »
→ *Il m'a dit que je devais travailler pour gagner ma vie.*

1. Mes parents m'ont déclaré : « Tu n'as plus besoin de notre aide. » ....

....

2. Ils m'ont annoncé : « Nous allons enfin penser à nous. Nous voulons faire le tour du monde en voiture. » ....

....

3. Leurs amis leur ont dit : « Nous allons passer nos vacances en Italie et nous vous invitons. » ....

....

4. Ils leur ont affirmé : « Votre présence serait pour nous un grand plaisir. » ....

....

5. Mes parents leur ont répondu : « Nous sommes désolés de ne pas pouvoir accepter votre invitation. Nous venons d'équiper une voiture et nous partons pour un long voyage. » ....

....

6. Alors, moi j'ai dit aux amis de mes parents : « Si ça ne vous ennuie pas, j'irai vous voir en Italie à la place de mes parents. » ....

....

● TRANSFORMATION DE
L'IMPÉRATIF EN
CONSTRUCTION INFINITIVE

5 Transformez les phrases.

Ils demandent à leurs enfants : « Ne faites pas tant de bruit. Allez jouer ailleurs. »
→ *Ils demandent à leurs enfants de ne pas faire tant de bruit et d'aller jouer ailleurs.*

1. Leurs parents leur disent : « Ayez des enfants avant qu'il ne soit trop tard. »

....

2. On nous a dit : « Répartissez-vous les tâches domestiques. Prenez vos décisions en commun. » ....

....

3. Nos amis nous recommandent : « Soyez heureux ensemble, mais aussi séparément. »

....

4. Ma sœur me dit : « Parle-lui plus souvent de tes problèmes. »

....

5. Nos grands-parents nous conseillent : « Réfléchissez bien avant de vous marier. »

....

6 **Rapportez les faits.**

Les enfants nés entre 1968 et 1978 ont subi les conséquences de la « révolution » à laquelle ont été mêlés leurs parents. Leur adolescence a donc été largement placée sous le signe des excès des années 80 et leur vision de la société a été influencée par les contradictions contemporaines. Du monde, ils n'ont connu que l'image qui leur en est donnée à la télévision car la majorité d'entre eux vivent chez leurs parents jusqu'à l'âge de 20 ans.

On a écrit que..

....

....

....

....

....

....

ESPACE DOCUMENTS ⎯⎯⎯⎯⎯⎯⎯⎯⎯⎯⎯⎯⎯⎯⎯

Comment présenter un thème

 A5 Oral 1 : Entretien : Présentation d'un texte et discussion sur le thème choisi.
Thème 5 : Les pratiques culturelles.

COMPRÉHENSION GLOBALE

1 **Analysez rapidement le circuit lecture.**

Dites qui s'adresse à qui ? Dans quel but ? (cf. p. 8)

2 **Comment l'auteur expose-t-il son point de vue ?**

1. Qu'annoncent les paragraphes 1 et 2 ? ......

2. Quel est le thème des paragraphes 3 à 6 ? ......

3. Quel est le thème des paragraphes 7 à 8 ? ......

4. Quel est le thème des paragraphes 9 et 10 ? ......

3 **Retrouvez les parties qui traitent les thèmes suivants et expliquez-les.**

1. Deux raisons culturelles de prénommer : ....

....

....

2. Les raisons psychologiques qui président au choix d'un prénom pour l'enfant :

....

....

3. La nécessité du rite : ....

....

....

Cela peut vous servir de plan pour votre présentation du texte.

Prénommer, quelle affaire !

[1] Lors des entretiens précédant une éventuelle psychothérapie d'enfant, le psychanalyste ne manque pas de s'informer sur les raisons qui ont présidé au choix de son prénom, ainsi que la totalité de ses patronymes. La plupart des parents s'en étonnent. Ce prénom, ils l'ont choisi « au hasard du calendrier », parce qu'il « sonne bien » avec le nom de famille ou encore parce qu'il est « joli ».

[2] Que l'on pousse un peu plus loin l'investigation ou que s'installe un temps de silence, et la suite arrive d'elle-même. En fait le prénom rappelle quelqu'un, un ami d'enfance, un héros de roman, une actrice de cinéma.

[3] Dès le début de la grossesse les parents commencent à ce soucier d'un prénom, mais parfois bien avant ; il fait alors partie du « projet enfant ».

[4] Il est une coutume qui se perd dans l'Hexagone, celle qui consiste à donner systématiquement le prénom des grands-parents ou des parrain et marraine. Ce changement correspond à une vision plus individualisée de l'être humain que l'on situe moins consciemment par rapport à sa famille. Et si l'on choisit un prénom porté par un ancêtre lointain (Rodolphe, Tristan, Xavière) c'est plus souvent en raison de son originalité.

[5] La mode joue bien sûr un rôle important. Dans la génération précédente, on a connu une multitude de Philippe ou de Charles, généralement révélateurs des opinions politiques des parents. De nos jours, ce sont surtout les médias qui imposent les Caroline, Stéphanie, voire Sue-Ellen et Fallon !

[6] Quels que soient les rapports que la personne entretiendra tout au long de sa vie avec cette nomination initiale, et même s'il lui prend la fantaisie d'en changer, elle ne peut pas y échapper réellement. Karl Abraham notait au début du siècle : « *On observe fréquemment qu'un garçon portant le même prénom qu'un homme célèbre s'efforce de l'imiter ou de lui porter un intérêt particulier.* » À méditer, au moment du choix !

[7] D'autre part, on se soucie, en général, de l'harmonie entre le prénom et le nom de famille et les parents les plus frottés de psychologie essaient d'éviter les prénoms porteurs de l'ambivalence des sexes, tels Dominique, Claude ou Stéphane. Enfin, il semble que l'on se garde plus souvent qu'autrefois de donner à un nouveau-né le prénom d'une sœur ou d'un frère mort. Et c'est très bien ainsi : cette « réparation » du deuil familial était trop lourde à porter pour l'enfant qui, dès le début de son existence, se trouvait investi d'une charge affective qui le dépassait.

[8] Dans le cas où le sexe est connu à l'avance, le bébé est nommé, du moins dans la tête des parents, même s'ils sont nombreux à garder secret le prénom. Dans le cas contraire, le choix du prénom est une occasion familiale, amicale, d'évoquer l'enfant à venir. Le fait que chacun donne son avis, excluant un nom, essayant d'en imposer un autre, fait exister le futur bébé.

[9] Que le nom fasse exister la personne est une vieille histoire que l'Église catholique, héritière du judaïsme, ne manque pas de rappeler le jour du baptême. Dieu connaît par son nom chaque être humain et établit avec lui une « alliance ». C'est pourquoi l'Église, bien qu'elle admette des prénom non encore sanctifiés s'ils sont choisis avec amour par les parents, recommande de donner au moins en deuxième lieu un nom « *mémoire vivante de ce que fut le pèlerinage sur terre d'un saint chrétien* ».

[10] Même pour les personnes non religieuses, le prénom se donne souvent officiellement lors d'une cérémonie familiale qui marque symboliquement l'entrée de l'enfant dans la communauté.

[11] C'est là reconnaître, par la nécessité du rite, la portée et la signification du patronyme. Son prénom, c'est ce que l'enfant entend dire en premier de sa personne. C'est ce qui le désigne pour lui-même et pour les autres. Françoise Dolto rappelle que « *même dans le sommeil profond, c'est le dire de son prénom qui peut réveiller un sujet* ». Et la célèbre psychanalyste s'élevait contre « *les petits noms et autres diminutifs lorsqu'ils avaient tendance à s'installer, en termes d'appel, en lieu et place du prénom* », surtout ceux inspirés d'animaux (Lapinou, Ticanard, Chatounette) ou de plantes (Fleurette, Babychou…). Les petits humains, disait-elle, doivent répondre à des prénoms humains. Comment ne pas abonder dans son sens !

Anne Débarède

Le Monde de l'éducation, septembre 1991

PRÉSENTATION ORALE

4 **Complétez la présentation suivante :**

Les parents s'étonnent lorsqu'un .... leur demande d'expliquer les .... qui ont présidé au choix du .... de leur enfant. Ce choix leur paraît naturel. En fait, on se rend compte de deux choses.

Premièrement, ce choix est profondément influencé par des éléments .... (par exemple, des souvenirs) et .... (des modes) et, deuxièmement, ce choix est le résultat d'un long processus au cours duquel les parents imaginent leur enfant et se préparent à l' ....

Choisir un prénom est donc un .... nécessaire qui permet de .... le futur bébé et de préparer sa venue dans la communauté. Le prénom lui-même est important pour que l'enfant trouve sa propre .... de petit homme.

5 **Pourquoi le psychanalyste demande-t-il aux parents de raconter comment ils ont choisi le prénom de leur enfant ?**

C'est peut-être pour faire .... les parents sur ce qu'ils .... pendant la grossesse au sujet de leur bébé.

6 **Préparez le plan de votre intervention.**

Rédigez l'introduction et la conclusion. Prévoyez l'enchaînement des idées.

DISCUSSION AUTOUR DU THÈME

7 **Exprimez une opinion personnelle en relation avec le thème 5.**

1. Sans perdre le texte de vue, notez toutes les idées qui vous viennent à l'esprit sur le thème : Prénommer, une pratique culturelle.
Exemples : Quelle est l'influence des modes et des coutumes sur le choix des prénoms masculins et féminins ? Quels sont les prénoms les plus courants à l'heure actuelle ? Que signifient les deux prénoms les plus courants dans votre pays ?
2. Dégagez une problématique, c'est-à-dire votre manière personnelle de poser le problème du choix du prénom.
Exemple : Le choix du prénom, c'est l'occasion, pour le futur père et la future mère, de se rendre compte s'ils partagent ou non la même vision de leur futur bébé.
3. Proposez votre réflexion autour de cette problématique.

8 **Préparez votre entretien avec le jury.**

1. Expliquez : « une vision plus individualisée de l'être humain ».
2. Commentez la citation de la psychanalyste F. Dolto : « Même dans le sommeil profond, c'est le dire de son prénom qui peut réveiller un sujet. »
3. Racontez l'histoire de votre prénom.

6 QUE JE T'AIME !

ESPACE SOCIÉTÉ

● ÉCRITURE LIBRE

1 Les « Histoires d'A. »

Écrivez la lettre que Valérie a envoyée à Nicolas quand elle l'a quitté. Faites trois paragraphes dans lesquels :

1. vous expliquerez les circonstances,

2. vous donnerez des raisons,

3. vous exprimerez des regrets (en faisant des hypothèses non réalisées dans le passé).

Si + P.Q.P. + conditionel passé *Si tu avais été plus compréhensif, je ne me serais pas éloignée de toi..*

1. ....

....

....

2. ....

....

....

3. ....

....

....

....

....

● LEXIQUE

2 Retrouvez les mots.

Complétez le texte suivant par des mots extraits du texte « L'art de la rencontre », page 73 de votre manuel.

trop de choix
Avant 25 ans, on n'a que l'embarras du choix pour .... Il est facile de se faire des .... et les occasions de .... ne manquent pas. On .... d'être décontracté et on *hide* dissimule souvent ses sentiments en faisant des plaisanteries.

Après 25 ans, la situation se modifie. Les multiples occupations de la vie quotidienne et l'obligation de travailler pour gagner sa vie font se .... les rencontres et le temps

D'ailleur *Beside* pour les exploiter. Aussi ne joue-t-on qu'à coup sûr et aime-t-on savoir .... tout de *Par conséquent* suite. Quand une occasion intéressante se présente, on comble l'autre d'..........., sans prendre la peine de .... un personnage.

● RÉÉCRITURE

3 Est-ce un résumé valable ?

1. Le texte de l'exercice 2 vous paraît-il être un résumé valable du texte d'origine ? Sinon, modifiez-le.

2. Réduisez-le de moitié.

3. Étoffez le deuxième paragraphe tout en respectant le texte d'origine.

4 **La liste de mariage.**

Vous allez vous marier et un de vos amis français vous écrit pour savoir quel cadeau vous voulez et ce qui vous manque pour vous installer.

En vous aidant de la publicité, répondez-lui en précisant ce qu'on a déjà promis de vous offrir et ce dont vous auriez besoin.

LA BOUTIQUE DU Mariage

1 SALADIER / 190F
1 PLAT ROND / 120F
24 ASSIETTES PLATES / 540F
12 ASSIETTES CREUSES / 490F
12 ASSIETTES À DESSERT / 320F
COUVERT À SALADE / 55F
12 VERRES À VIN / 150F
12 VERRES À EAU / 120F
12 FLUTES À CHAMPAGNE / 180F
12 FOURCHETTES / 290F
12 CUILLÈRES / 270F
12 COUTEAUX / 350F
CAFETIÈRE ÉLECTRIQUE / 315F
FER À REPASSER / 259F
12 PETITES CUILLÈRES / 170F

....
....
....
....
....
....
....
....
....
....
....
....
....
....
....
....
....
....
....
....
....

5 **Dites-le autrement.**

Complétez les phrases en respectant le sens.

Elle devenait facilement mélancolique.
→ *Elle avait une tendance à la mélancolie.*

1. Il ne pouvait rien espérer de cet amour.

C'était un amour ....

2. Il portait une veste rouge.

C'était l'homme ....

3. Ils souhaitaient que le mariage réussisse.

Ils faisaient des vœux ....

4. Son nouveau mobilier est entièrement métallique.

Il s'est acheté un mobilier ....

5. Cette poupée est faite de carton.

C'est une poupée ....

6. On joue aux échecs et aux dames sur cette table.

C'est une table ....

6 **Quelles sont les principales conditions pour qu'un mariage réussisse ?**

1. Classez les raisons ci-dessous selon votre ordre d'importance.

a. S'aimer. ☑

b. Être du même milieu. ❏

c. Avoir les mêmes amis. ❏

d. Être patient. ☑

e. Partager les tâches ménagères. ☑

f. Être fidèle. ❏

g. Bien s'entendre sexuellement. ❏

h. Être à l'écoute de l'autre. ❏

i. Avoir les mêmes intérêts. ☑

j. Avoir des enfants. ❏

k. Autres raisons. ❏

les habitudes

2. En quoi votre classement reflète-t-il les traditions et les usages en vigueur dans votre pays ?

....

....

....

....

....

ESPACE LANGUE

Les adjectifs qualificatifs

1 **Mettez au pluriel les expressions ou les phrases soulignées.**

1. J'ai rencontré <u>mon vieil ami</u>. ....

2. Elle a acheté <u>un chemisier marron et une jupe vert pomme</u>.

....

3. Ils ont choisi <u>une tenture bleu émeraude et jaune orange</u>.

....

4. <u>C'est un très bel objet</u>. ....

5. <u>Cette belle journée ensoleillée m'ouvre un nouvel horizon</u>.

....

6. <u>Ce nouvel employé sera un collaborateur loyal.</u>.

....

2 **Formez des expressions.**

Associez les noms et les adjectifs suivants. Attention à la place de l'adjectif !

noms : yeux, amour, tendresse, confiance, fin, courage, tourments, affaire

adjectifs : douloureux, bleu, exclusif, nécessaire, cher, attendu, délicat, grand

....

....

3 **Cas d'emploi.**

Dans le texte « L'art de la rencontre », page 73 de votre manuel, trouvez des exemples :

1. d'adjectifs antéposés : ....

2. de participes passés utilisés comme adjectifs : ....

3. d'adjectifs substantivés : ....

4. d'adjectifs ayant fonction d'attribut : ....

4 **Paraphrasez les expressions.**

Quelle différence de sens y a-t-il entre les expressions ci-dessous.
Cherchez, au besoin, dans votre dictionnaire.

1. un maigre repas ....

un repas maigre ....

2. un vilain bonhomme ....

un bonhomme vilain ....

3. une sacrée histoire ....

une histoire sacrée ....

4. une vague idée ....

une idée vague...

5. un curieux garçon ....

un garçon curieux ....

6. un certain âge ....

un âge certain ....

5 **Trouvez la préposition qui suit ces adjectifs.**

Sur une scène large ...... quelques mètres, un homme grand ...... taille soutenait sur ses épaules six acrobates âgés ...... 10 à 15 ans. C'était un exercice difficile ...... réaliser ; différent ...... exercices d'acrobatie que je venais de voir. De plus, le spectacle était amusant ...... regarder. Mais j'étais soucieux ...... l'heure et j'ai décidé de rentrer chez moi.

ESPACE DOCUMENTS —————————————

Comment présenter un thème

DELF **A5 Oral 1 :** Entretien : présentation d'un texte et discussion sur le thème choisi.
Thème 6 : La civilisation et la culture contemporaines.

Le mélodrame[1] amoureux

Dans la dynamique de désir se succèdent et se conjuguent plusieurs facettes : exaltation, déception, possession, fantasme…
Michel Lobrot décortique chacun de ces états de conscience, cristallisé en autant de mythes que les écrivains ont su, à ce jour, les mieux dépeindre.

Par Michel Lobrot*

L'amour est protéiforme. Il est donc difficile de le définir ou simplement de le cerner. Dans *De l'amour*, écrit en 1822, Stendhal distingue quatre sortes d'amour : l'amour-passion, l'amour-goût, l'amour physique et l'amour de vanité. Seul le premier possède le caractère exalté et radical qu'on attribue généralement à l'amour. Le second est plutôt une forme de représentation et de mise en scène ; le troisième s'identifie à la sexualité et le quatrième est une manière de paraître en société.

Mais les choses sont encore plus compliquées, car l'amour ne se ramène pas au domaine « conjugal ». L'amour familial ou l'amour parental, l'amour de la vieille dame pour ses chats, l'amour pour le Christ de saint Jean de la Croix, l'amour pour l'humanité et pour les déshérités, l'amour pour la patrie, l'amour pour une cause sociale et politique, etc., sont aussi des formes d'amour.

On a beaucoup reproché à la langue française d'employer le même mot pour parler de l'amour de la religieuse portugaise, de l'amour pour son chien et de l'amour pour le chocolat. On peut considérer cela comme choquant. Mais il faut le comprendre. On peut vendre son âme pour toutes ces choses, y compris pour le chocolat. Les boulimiques en savent quelque chose. L'amour ne serait-il en définitive qu'une capacité à vendre son âme ?

UNE UNITÉ PROFONDE

À mon avis, cette diversité, qui donne un peu le tournis, n'est qu'apparente. La variété des sens masque une similitude à un niveau plus profond et le fait de l'amour est une réalité du registre émotionnel et affectif, qui est au centre de l'être humain, qui l'occupe une grande partie de son temps, qui détermine son bonheur et son malheur. Il y a un universel de l'amour.

J'aperçois trois caractéristiques qui me semblent appartenir à tout amour, quelles que soient sa forme et son intensité.

Une première caractéristique est l'exaltation. L'amour transporte. On parle des « transports de l'amour ». Sans aller jusqu'à l'amour d'Héloïse et d'Abélard, même l'homme qui, dans l'optique appelée par Stendhal « amour de vanité », exhibe dans le monde une très jolie femme, se sent transporté à l'idée qu'il va pouvoir faire cela. Naturellement, cet aspect de transport est encore plus visible quand le sexe s'en mêle. […] Il y a de la fusion et d'une certaine manière de la mystique dans tout amour.

Une deuxième caractéristique est le côté intériorisé. L'amour est quelque chose qu'on vit au fond de soi-même, dans ses fantasmes, ses rêves et son imaginaire. Il hante vos nuits. Il ne vous quitte pas. L'objet de votre amour vous « habite », comme on dit. Cette très belle image indique bien à quel point, dans l'amour, un autre prend possession de vous. On ne peut plus s'en débarrasser. Quand les choses tournent mal, ce qui arrive assez souvent, les images de l'objet amoureux vous taraudent et ne vous laissent pas tranquille, vous acculent au désespoir et parfois à la mort. L'amour et la mort. Eros et Thanatos.

Une troisième caractéristique est ce qu'on a appelé son caractère oblatif[2]. Tout amour est amour d'un « autre ». La réciprocité est au cœur de l'amour. […] Ceci veut dire qu'il y a un aspect de dépossession et de sacrifice, sur lequel la tradition religieuse insiste particulièrement. Mais on peut aussi retourner les choses et dire que l'amour, justement parce qu'il vous permet de sortir de vous-même et de rencontrer l'autre, vous enrichit au maximum et vous permet de rompre votre solitude fondamentale. C'est peut-être le comble de l'égoïsme. Il faudrait trouver un autre mot, car, comme le faisait remarquer Bernard Shaw, l'égoïsme est fermé de tous les côtés, y compris du côté de celui qui le dénonce. « J'appelle égoïste, disait-il, celui qui ne pense pas à moi, » on pourrait parler, avec Stendhal, d' « égotisme ».

Si l'amour est bien tout cela, cette réalité merveilleuse et exaltante, dont se nourrit l'être humain, comment expliquer qu'il fasse aussi mourir, qu'il envoie à l'hôpital, chaque jour, chaque minute, je crois, selon les statistiques, un certain nombre de gens qui ont pris la bonne dose de barbituriques, pour sortir de ce cauchemar dans lequel l'amour les a plongés ? […]

---

* Michel Lobrot, sexologue et psychothérapeute, auteur de nombreux ouvrages de pédagogie et de psychologie dont *Écoute du désir*, éd. Retz, 1990.

---

1. **Mélodrame :** drame populaire avec une intrigue et des rebondissements invraisemblables, des épisodes violents, des personnages caricaturaux.
2. **Oblatif :** qui s'offre à satisfaire les besoins d'autrui au détriment des siens propres.

COMPRÉHENSION GLOBALE

1 **Analysez rapidement le circuit de lecture.**

1. Qui s'adresse à qui ?
– Michel Lobrot s'adresse aux lecteurs de la revue *Sciences humaines*. ❏
– La revue *Sciences humaines* s'adresse aux lecteurs de Stendhal. ❏
– Des écrivains s'adressent à leurs lecteurs. ❏

2. Dans quels buts ?
– enrichir la culture littéraire des lecteurs. ❏
– les aider à mieux comprendre « *la dynamique du désir* » . ❏
– les convaincre que l'amour est protéiforme et indéfinissable. ❏
– leur montrer qu'il y a « *un universel de l'amour* ». ❏

2 **Comment l'auteur expose-t-il son point de vue ?**

– Quelle est l'idée avancée dans les 3 premiers paragraphes ?

– Quelle est la thèse introduite au quatrième paragraphe ?

– Où est-elle développée et en combien de points ?

– Quelle est la nouvelle idée introduite en conclusion (paragraphe 9) ?

Cela peut vous servir de plan pour votre présentation du texte.

PRÉSENTATION ORALE

3 **Comment résumeriez-vous la thèse présentée par l'auteur dans le paragraphe 4 ?**

1. Pour M. Lobrot, le fait que le mot amour a des significations différentes en français signifie que le sentiment amoureux n'a pas d'unité profonde.
2. Pour M. Lobrot, les significations différentes du mot amour ne font que masquer l'unité profonde du sentiment amoureux.

4 **Les trois caractéristiques de l'amour.**

Commentez avec vos propres termes les trois caractéristiques de l'amour présentées par l'auteur aux paragraphes 6, 7, 8, d'abord de manière neutre, puis en prenant parti.

1. Paragraphe 6 : L'exaltation désigne…
L'aspect formidable de l'amour est qu'il transporte de telle manière que…
2. Paragraphe 7 : On peut définir l'intériorisation du sentiment amoureux comme…
Selon moi, le problème majeur en amour est l'obsession dont on est…
3. Paragraphe 8 : Le caractère oblatif permet….
À mon avis, le plus positif en amour réside dans…

5 **Reformulez les deux termes du paradoxe énoncé en conclusion.**

Certes, l'amour est .... mais, en même temps, il provoque souvent ....

DISCUSSION AUTOUR DU THÈME

6 **Exprimez une opinion personnelle en relation avec le thème 6.**

1. Relisez les pages « Espace Société » du dossier 6 de votre livre et inspirez-vous des différents documents pour noter vos idées autour du thème suivant : les différentes facettes de l'amour dans les œuvres littéraires (ou cinématographiques).
Notez des exemples concrets dans les œuvres que vous connaissez.
2. Dégagez une problématique et développez-la en deux ou trois points.
3. Concluez.

7 **Préparez votre entretien avec le jury.**

1. Expliquez : *Le mélodrame amoureux.*

Pourquoi avoir choisi cette formule comme titre de ce texte ?

2. Êtes-vous d'accord avec le classement des formes d'amour proposé par Stendhal ?

Aidez-vous des formules linguistiques suivantes :

> **Pour structurer votre intervention :**
> – Stendhal distingue quatre sortes d'amour : le premier..., le deuxième..., le troisième.., le quatrième...
> – L'auteur relève trois caractéristiques : une première..., une deuxième..., une troisième...
> – En premier lieu..., en second lieu...
> – Dans un premier temps..., dans un second temps...
>
> ⚠ premier, deuxième, troisième, quatrième...
> ≠ premier et second (quand il n'y a que 2 points).

7 MOI ET LES AUTRES

ESPACE SOCIÉTÉ

● PARAPHRASES

1 Dites-le autrement ?

Paraphrasez les propositions suivantes. Au besoin, aidez-vous du texte « Mœurs, qui parle à qui ? », page 85 de votre manuel.

1. La vie en couple marque un premier coup d'arrêt. ....

....

2. Et ce n'est rien à côté de l'arrivée du premier enfant. ....

....

3. Arrivé à la trentaine, les collègues prennent le relais des amis. ....

....

4. Tout y passe. ....

....

5. Dès l'âge de 60 ans, la moitié des discussions relèvent de la parenté. ....

....

● *SE FAIRE* + ADJECTIF OU ADVERBE

2 Complétez les phrases.

Utilisez : *se faire* + adjectif ou adverbe.
Utilisez : *nombreux, facile / ment, difficile / ment, vite...*

1. Pendant les années de fac, les amitiés ....

....

2. Dès qu'on est marié, les rencontres ....

....

3. Dès qu'on entre dans la vie active, le temps libre ....

....

4. À la retraite, les échanges ....

....

● PROTESTER

3 Élevez des protestations et donnez une raison.

Contre l'obligation de porter la ceinture de sécurité :

→ *Pourquoi est-ce qu'on m'obligerait à porter une ceinture, si je n'en ai pas envie !*
→ *Il est inadmissible d'imposer le port de la ceinture à ceux qui ont peur de rester bloqués en cas d'accident.*

1. Contre les limitations de vitesse sur route.

....

....

2. Contre l'augmentation des impôts.

....

....

3. Contre la création d'un fichier informatisé national sur les personnes.

....

....

4. Contre l'interdiction de faire du bruit après dix heures du soir.

....

....

● ADVERBES

4 **Remplacez les locutions adverbiales soulignées par un adverbe.**

1. Narcisse fait ce qu'il veut <u>sans penser aux autres</u>.

....

2. Annie milite <u>de façon active</u>.

....

3. Ils reçoivent leurs amis <u>à la bonne franquette</u>.

....

4. Ils ont accueilli la nouvelle <u>avec calme</u>.

....

5. La famille a vécu l'événement <u>dans la tristesse</u>.

....

6. Le PDG a agi <u>en dehors de toute contrainte</u>.

....

● ADVERBES

5 **Complétez le texte avec les mots suivants.**

En effet, le plus, conformément, en général, aussi, encore, de plus, par exemple.

.... quel que soit l'âge et le sexe, on « fréquente » .... à son revenu, et plus .... à son diplôme. .... au plus haut sommet de la sociabilité, professeurs, artistes et cadres côtoient les membres des professions libérales. ...., ne dit-on pas de « ces gens-là » qu'ils ont des relations ?

............, une idée reçue vole complètement en éclats : celle d'un monde ouvrier fraternel, convivial. ....:. l'ouvrier a perdu le goût pour les déjeuners en famille et les réunions syndicales. Il se retrouve .... pauvre en contacts de toutes les catégories sociales.

● NIVEAUX DE LANGUE

6 **Classez les énoncés suivants du plus familier au plus soutenu.**

1. Transmettez ce message, voulez-vous ? ......
2. Madame, auriez-vous l'amabilité de transmettre ce message ? ......
3. Dis-donc, tu le transmets ce message ? ......
4. Si vous en avez le temps, veuillez transmettre ce message. ......
5. Sylvie, ce message, tout de suite ! ......
6. Voudriez-vous transmetttre ce message ? ......

ESPACE LANGUE

- *TOUT* : ADJECTIF, PRONOM
  OU ADVERBE

1 **Complétez les phrases avec une forme de *tout*.**

Dites, pour chaque phrase, s'il est employé comme adjectif, comme adverbe ou comme pronom.

1. ……….. travail mérite salaire. (proverbe)

2. Nos enfants sont ……….. majeurs.

3. Elle était ……….. rouge de confusion.

4. ……….. enfant, il rêvait d'aventure.

5. ……….. en parlant, il observait son auditoire.

6. C'est une région où il fait beau en ……….. saisons.

7. Ils ont repris la chanson ……….. en cœur.

8. Il faisait du jogging ……….. les matins.

- EMPLOIS DE *TEL*

2 **Remplacez *tel* par un synonyme.**

Paraphrasez si vous ne trouvez pas d'équivalent.

1. Tel que vous le voyez, il a 80 ans.

……

2. Ils étaient tels que je les avais imaginés.

……

3. Tel qui rit vendredi dimanche pleurera. (proverbe)

……

4. Montaigne et La Boétie ont été des amis modèles. Une telle amitié mérite qu'on en parle.

……

5. Tel père, tel fils. (proverbe)

……

6. Je lui ai prêté un livre dont les pages n'étaient pas coupées. Il me l'a rendu tel quel.

……

7. Il est d'une paresse telle qu'il a de nouveau échoué à son examen.

……

8. Tu as rencontré monsieur untel.

……

- ADJECTIF INDÉFINI + *DE*

3 **Complétez avec les indéfinis.**

Utilisez : *rien, quelque chose, personne, pas un, quelqu'un.*

1. Cette nouvelle ne présage ……….. de bon.

2. Il se passe ……….. de grave.

3. Il veut engager ……….. de sérieux.

4. Il n'a trouvé ……….. de valable.

5. J'ai vu Antoine, mais ……….. d'autre.

6. Il n'y en avait ……….. de bon.

● VERBES IMPERSONNELS

4 **Utilisez des formes impersonnelles avec les verbes suivants :**

s'agir de, falloir, sembler, se passer, faire froid, ne pas empêcher, pleuvoir, neiger.

1. .... des choses bizarres.

2. .... qu'on rencontre 20 % de nos amis au travail.

3. .... bien manger pour vivre.

4. .... de plaire.

5. En hiver, ... , ... , ...

6. .... qu'il ait des problèmes.

● TOUT

5 **Remplacez *tout* par un ou plusieurs mots de sens équivalent.**

1. Tous les jours, il se lève à 7 heures. ....

2. La maison était toute ouverte. ....

3. Elle était toute confuse. ....

4. Tout acte répréhensible sera puni. ....

5. Une toute jeune fille ouvrit la porte. ....

6. Il restait quelques fruits. Elle a acheté le tout pour 10 francs. ....

● INDÉFINIS

6 **Complétez les phrases.**

Utilisez un des indéfinis suivants : *n'importe quel, quelconque, aucune, ailleurs, n'importe quoi, un autre, partout, n'importe qui* .

1. Je ne veux plus vous voir ici. Allez jouer ....

2. Choisissez .... article. Ils sont tous bons.

3. Assez de bêtises. Arrêtez de dire ....

4. La maison était restée ouverte. .... aurait pu entrer.

5. J'ai cherché ce livre .... , mais je ne l'ai pas trouvé.

6. Je ne veux pas de ce produit. Donnez-m'en ....

7. Nous avons trouvé ce spectacle très ....

8. Il y a tellement de candidats qu'il n'a .... chance.

ESPACE DOCUMENTS

Le compte rendu

DELF **A5 Écrit :** Compte rendu d'un texte.
Thème 2 : Se déplacer.

COMPRÉHENSION
GLOBALE

1 **Lisez le texte une première fois.**
Numérotez les paragraphes et soulignez son circuit de lecture.

2 **Dites si ce texte s'appuie sur :**
une narration, une argumentation, une explication ou un dialogue.

Le Monde, le 7 juin 1992

DOCUMENT

Partager la rue

L'ÉPOQUE des grandes percées de type Haussmannien semble terminée. Les villes ne bâtissent plus en fonction du trafic automobile mais, à l'inverse, depuis quelques années, elles auraient plutôt tendance à réduire la largeur de leurs rues. « *Plus on élargit une voie, plus on augmente la fluidité du trafic et plus on assiste à une augmentation de la circulation en volume et en vitesse* », explique Gérard Plante-Rose, adjoint chargé de l'urbanisme à Saint-Léger-du-Bourg-Denis.

Dans cette commune de l'agglomération rouennaise, une concertation a été engagée avec la population pour y définir les priorités d'un nouveau plan de circulation. Selon l'adjoint au maire, « *tout automobiliste est aussi un piéton, et il doit se montrer responsable dans ses choix* ».

À lui d'accepter de ralentir sa vitesse en ville, à lui de penser que dans certains quartiers « *la voirie est conçue en priorité pour les piétons et les cyclistes, pour les enfants afin qu'ils puissent jouer en toute sécurité.* » À Saint-Léger-du-Bourg-Denis, comme dans nombre de villes, les services municipaux envisagent de planter des arbres aux carrefours pour réduire la visibilité ou de multiplier les obstacles sur la trajectoire des voitures. Dans d'autres cités, la décision est prise de limiter les places de parking en centre ville. Des aménagements de la voirie qui n'ont qu'un seul but : modérer la circulation automobile. Si elle veut être autorisée en milieu urbain, la voiture doit tenir compte des autres usagers de la rue. Or, l'automobiliste paraît beaucoup plus sensible à quelques bancs ou à un sol pavé qu'à un panneau de limitation de vitesse. Il adapte son comportement à l'environnement qu'il traverse.

Recréer une animation urbaine

Il faut pour cela agir à la fois sur l'ambiance du lieu, par la végétation, le mobilier urbain, les matériaux, et sur la configuration physique de la rue. Le long ruban noir de la route doit être cassé, dans sa longueur, en créant des occasions de ralentissement, dans sa largeur, en réduisant l'espace offert à la voiture, et dans sa hauteur, en jouant sur la perspective.

Coupée en deux par une route nationale, la petite ville de Doyet, dans le département de l'Allier, voyait peu à peu disparaître toute vie locale. En cinq ans, dix-neuf accidents graves s'étaient produits sur cette voie fréquentée quotidiennement par 5 000 véhicules. Grâce au programme interministériel expérimental « Ville plus sûre, quartiers sans accidents », la commune est partie à la reconquête de 600 mètres de route qui formaient de fait son centre ville.

Des « portes » d'entrée et de sortie de la zone centrale ont été matérialisées par des colonnes. Parmi les nouveaux carrefours, celui de la mairie a été aménagé en place, à l'aide d'un pavage circulaire d'un mobilier urbain adapté (bacs à fleurs, bancs et lampadaires). La largeur de la voie a été réduite par une plus forte emprise des trottoirs et par la création d'un terre-plein central. Une piste cyclable de couleur, entre chaussée et trottoirs, accentue l'effet de rétrécissement.

Le terre-plein central a été planté. Les arbres, en brisant la perspective, coupent l'élan de l'automobiliste. Non seulement ces aménagements incitent les automobilistes à ralentir, mais ils permettent à la vie urbaine de renaître. Dans un environnement plus sûr et valorisé par des plantations, des bancs, des couleurs, les piétons se réapproprient la rue, créant ainsi une ambiance qui renforce l'ambiance urbaine à laquelle est sensible l'automobiliste.

Le programme « Ville plus sûre, quartiers sans accidents » concernait surtout les grands axes, mais son principe de base (réconcilier circulation, sécurité et vie urbaine) peut s'appliquer à n'importe quel secteur d'une ville. À l'approche de son centre piétonnier, Chambéry a entièrement réaménagé une place pour une meilleure mixité des usages.

Les automobilistes peuvent faire le tour de ce qui est devenu la principale station de bus du centre ville, mais ils sont prévenus qu'ils circulent dans « une rue à priorité piétonne ». Les simili-pavés de couleur sur le sol créent une ambiance urbaine et forment des dessins qui fractionnent visuellement le trajet de la voiture. Les bordures de trottoirs ont disparu, elles donnaient aux automobilistes la sensation que tout leur était permis sur la chaussée. Aujourd'hui, dans cet espace semi-piétonnier, même les cyclistes se sentent chez eux, et la création de pistes réservées à leur usage ne se justifie plus.

Garder la « mixité »

Un décret du mois de novembre 1990 offre aux communes la possibilité de créer des « zones 30 », des secteurs « *où la vitesse est limitée à 30 km/h, et dont les entrées et sorties sont annoncées par une signalisation et font l'objet d'aménagements spécifiques* ». Ce type d'aménagements répond à une préoccupation nouvelle : gérer le conflit entre circulation et qualité de vie urbaine sans exclure une catégorie d'usagers de la rue. Pendant longtemps, la ségrégation des modes de déplacement a prévalu. D'un côté, les plans de circulation s'adressaient aux voitures, de l'autre les zones piétonnes et les pistes cyclables à leurs usagers respectifs. Aujourd'hui, les déplacements sont pensés de manière globale et le maître mot est la « mixité ».

Les études réalisées sur les centres urbains ont montré que la voiture crée une animation dans les villes et que les rues exclusivement piétonnes sont désertes le soir et le dimanche. « *C'est pour ne pas étendre son "ghetto piétonnier" que Chambéry a créé des rues mixtes* », indique le directeur des services techniques de la préfecture de la Savoie.

À Chambéry, comme dans d'autres communes plus modestes, tous les modes de déplacement doivent pouvoir cohabiter. Mais pour cela il ne faut pas que l'un d'eux domine les autres. Dans l'avenir les automobilistes devront faire preuve d'une plus grande modestie.

CÉCILE MAILLARD

3 **Relisez le premier et le dernier paragraphe du texte.**

Choisissez parmi ces deux titres celui qui souligne le mieux l'intention de l'auteur.

1. Il faut agir ensemble pour partager la rue entre piétons et automobilistes. ❏

2. Partager la rue : une politique engagée depuis Haussmann. ❏

4 **Repérez les trois idées clés de ce texte :**

1. Lisez les deux dernières phrases du paragraphe 3. Que demande-t-on à l'automobiliste ?

2. Observez le début du paragraphe 4 : À quoi fait référence *cela* dans la phrase « Il faut pour cela agir à la fois... ». Quels sont les deux moyens d'action envisagés ?

3. Paragraphes 10 et 11 : Combien de fois est reprise l'idée de *mixité* annoncée dans l'inter-titre ? De quelle mixité s'agit-il ?

4. Reformulez les trois idées clés du texte.

5 **L'affirmation suivante résume bien la pensée et l'intention de l'auteur.**

1. Complétez-la.

Pour « partager la rue », il est nécessaire (1) d'agir sur le .... de l'automobiliste, (2) d'agir sur l'................ urbain et (3) de penser les déplacements en ville en terme de ....

2. Dans quelles parties sont développées ces trois idées ?

COMPRÉHENSION DÉTAILLÉE

6 **Détaillez le contenu de chaque partie en remplissant le tableau suivant.**

Idée	Paragraphe correspondant	Ville citée en exemple	Moyens mis en œuvre
1. agir sur…	....	....	....
2. agir sur...	....	....	....
3. penser la...	....	....	....

RÉDACTION

7 **Établissez le plan de votre compte rendu écrit.**

Vous pouvez choisir le plan de Cécile Maillard en partant de l'exposé des problèmes à la présentation des solutions. Vous pouvez aussi bâtir un autre plan en partant de l'exposé des solutions à l'exposé des problèmes.

Par exemple :

1°) Les bienfaits de la mixité pour l'ensemble des citadins.

2°) Faire ralentir les automobilistes en aménageant la voirie et le centre ville.

3°) Partager la rue c'est partager les responsabilités.

8 **À partir de l'un de ces plans, écrivez votre compte rendu.**
(200 mots environ)

ESPACE SOCIÉTÉ

• CROYANCES ET VALEURS

1 En quoi est-ce qu'ils croient ?

Écrivez, pour un magazine, un article sur les croyances et les espoirs des jeunes Français de 18 à 24 ans, en reprenant le tableau de la page 97 de votre manuel. Essayez d'utiliser tous les termes de la case en haut à gauche.

D'après les sondages réalisés, les jeunes entre 18 et 24 ans croient en majorité que leur avenir sera meilleur s'ils font de bonnes études...

• HYPOTHÈSES

2 Que feriez-vous si...

1. vous vouliez faire du bien aux autres ? ....
....

2. vous vouliez choquer les autres ? ....
....

3. vous pouviez vous offrir le cadeau de vos rêves ? ....
....

4. vous pouviez changer d'études ou de profession ? ....
....

5. vous pouviez revivre vos trois dernières années ? ....
....

• CARACTÉRISATION

3 Observez le tableau de Millet, *L'Angélus* (1859).

1. Que font les personnages ? Caractérisez leur attitude.
2. Quels éléments situent ce tableau dans le temps (lieu, cadre, personnages....) ?
3. Qu'évoque ce tableau pour vous ?

● COMPORTEMENTS SOCIAUX

4 Est-elle représentative ?

Lisez le compte rendu de l'interview de Julie Delpy, une jeune comédienne de 25 ans, et dites en quoi elle est représentative de l'opinion de la majorité des jeunes.

Côté cœur, Julie Delpy se situe dans la norme. Dans quelques années, la jeune actrice s'imagine mère de famille et mariée. « Nous sommes romantiques et passionnés », dit-elle. Et même si ses loisirs préférés sont le cinéma, les amis et la lecture, elle reconnaît passer 70 % de son temps en famille. Pour elle, « la famille est une valeur positive ». Les jeunes ne sont plus révoltés contre leurs parents.

....

....

....

....

● EXPRESSION DE LA
RESTRICTION

5 Qu'est-ce qu'on peut imaginer ?

Complétez les phrases.

Si plusieurs chanteurs à succès ont accepté de se produire pour les Restaurants du cœur, c'est parce qu'ils veulent aider les pauves et les plus démunis.

1. Si le Secours populaire français peut distribuer 20 millions de repas chaque année, ...

....

2. En admettant que tout le monde y mette du sien, ...

....

3. Pour peu que quelques vedettes du disque et de la scène veuillent bien se produire,

....

4. Même si l'effort de solidarité était encore plus grand, ...

....

5. Pourvu que la cause à défendre soit bonne, ...

....

6. À moins que les tendances s'inversent dans les années qui viennent, la société future

....

● INFÉRENCE

6 Qu'est-ce qui peut vous mettre sur la piste ?

Quels indices vous permettent de découvrir le sens de ces mots et de ces expressions tirées du texte « Charité bien conçue », page 100 de votre manuel : le contexte, votre expérience du monde et des gens, la formation des mots, leur fonction dans la phrase...

Pris de boisson : le mot « boisson » est formé à partir de *boire* = pris par la boisson, qui a bu.

Dans le contexte proche, on trouve le mot « alcoolique ».

1. Dénuement : ....

2. Appui matériel : ....

3. Revers de fortune : ....

4. Subvenir à ses besoins : ....

5. Préjugés : ....

ESPACE LANGUE

Les emplois de l'infinitif

1 **Quels sont les emplois de l'infinitif ?**

Lisez les phrases et indiquez la fonction de l'infinitif.

Les fonctions de l'infinitif :

a. complément de verbe transitif direct ou indirect
b. complément d'un nom ou d'un adjectif
c. sujet
d. complément circonstanciel introduit par une préposition

1. Je n'hésiterai pas à descendre dans la rue. ....

2. Nous avons la chance d'habiter dans une région dynamique. ....

3. Ils sont prêts à s'engager. ....

4. Travailler devient un luxe. ....

5. Vous réfléchirez après avoir lu ma lettre. ....

6. Ils sont contents d'y être allés. ....

7. Ne vendez pas la peau de l'ours avant de l'avoir tué. ....

8. Elle voulait partir. ....

2 **Complétez avec des prépositions si nécessaire.**

Il venait .... arrêter .... travailler. Il avait fini .... se fatiguer .... toujours recommencer la même tâche. Il s'était mis .... travailler tôt ce matin. Mais, maintenant, il se sentait incapable .... continuer. Il voulait .... se reposer. Il allait .... quitter la maison .... se rendre chez son oncle.

3 **Exprimez-le avec un verbe à l'infinitif.**

Remplacez les groupes nominaux soulignés par un groupe infinitf.

On a aidé à sa réussite.
→ *On l'a aidé à réussir.*

1. Ils ont renoncé à la démolition du bâtiment.

....

2. Ils ont décidé de la construction d'un pont.

....

3. Nous nous sommes engagés à la rédaction d'un compte rendu.

....

4. Vous avez contribué à l'établissement de bonnes relations.

....

5. Nous avons contemplé le coucher du soleil.

....

6. On a exigé la poursuite des négociations.

....

4 Décrivez des opérations.

Récrivez les extraits de recettes et de modes d'emploi suivants avec des verbes à l'infinitif.

1. Prenez six œufs et un litre de lait.
2. Vous agiterez avant de vous en servir.
3. Laissez reposer le mélange.
4. Cuisez à feu doux.
5. Faites refroidir.
6. Ne permettez pas aux enfants de toucher au produit.

1. ....
2. ....
3. ....
4. ....
5. ....
6. ....
....

5 Complétez les phrases avec des infinitifs passés.

Utilisez les verbes entre parenthèses.

1. Il affirme .... la semaine dernière. (passer)
2. Elle m'a dit vous .... ce matin. (téléphoner)
3. Vous ne pouvez pas .... avant d' .... (arriver - partir)
4. Il a peur d' .... de fermer le gaz. (oublier)
5. Tu crois .... ton examen d'hier. (réussir)
6. Il est parti avant d'...................... sa note. (régler)
7. Elle ne peut pas travailler avant d' .... son café le matin. (boire)
8. Vous prétendez .... cet individu il y a deux jours ? (apercevoir)

6 Transformez.

Transformez la construction *que* + verbe conjugué en construction infinitive chaque fois que c'est possible.

1. Vous pensez que vous avez obtenu de bons résultats ?
....
2. Tu es certain que tu n'as rien laissé de compromettant ?
....
3. Elle affirme qu'elle y arrivera sans aide.
....
4. Ils ont reconnu qu'ils avaient menti.
....
5. Je vous explique que ça ne devait pas se produire.
....
6. J'étais sûr que je vous verrais.
....
7. Promettez-moi que vous viendrez nous voir.
....
8. Ils voulaient que je vienne.
....

9 L'ÉCOLE... ET APRÈS ?

ESPACE SOCIÉTÉ

EXPRESSION DE LA CONCESSION :
MALGRÉ QUE
BIEN QUE
QUOIQUE
AUSSI...QUE
EN DÉPIT DE

1 **Marquez des concessions.**

Complétez les phrases suivantes avec des conjonctions ou des prépositions de concession.

1. .... l'école soit censée préparer les jeunes à la vie, elle reste un univers clos.

2. .... des efforts faits pour la formation des enseignants, les cours restent moyennement intéressants.

3. .... soit leur intérêt pour les cours, les lycéens ne remettent pas en cause le contenu des programmes.

4. .... on ait modernisé quelques établissements scolaires, les locaux sont en général trop anciens et mal équipés.

5. .... lourds .... soient les programmes, les lycéens s'en accommodent.

6. .... nombreux .... soient les sujets de mécontentement, les lycéens d'aujourd'hui ne sont plus contestataires.

7. .... ses manques, l'école reste le plus sûr moyen de réussir dans la vie.

8. .... cette génération ne soit pas profondément contestataire, elle a cependant de nombreuses revendications à formuler.

2 **Dites-le de deux manières différentes.**

1. Votre ami(e) va passer un examen. Exprimez-lui vos encouragements.

....
....
....

2. Votre ami(e) vient d'échouer. Exprimez -lui :

– vos regrets : ....
....

– vos critiques amicales : ....
....

– vos souhaits : ....
....

3. Votre ami(e) vient d'être reçu(e). Exprimez-lui vos félicitations.

....
....
....
....

EXPRESSION DE REGRETS, DE SOUHAITS, D'ENCOURAGEMENTS, DE FÉLICITATIONS

● EXPRESSION DE LA CONCESSION

3 Complétez ces phrases.

1. L'échec de Bruno était d'autant plus ennuyeux que son père ....

....

2. Son échec était ennuyeux, encore que ....

....

3. Il passerait un mois en Angleterre, bien que ....

....

4. Bruno était d'autant plus heureux d'aller en Angleterre que ....

....

5. Bien qu'il soit professeur de lettres, le père de Bruno ....

....

● CONSEIL

4 Conseillez Sylvie.

Voici la lettre qu'a écrite Sylvie, une jeune femme de 24 ans qui n'a pas le bac, à la rubrique « Courrier » d'un hebdomadaire féminin. Vous êtes chargé(e) de la rubrique.

> Voilà mon problème : pendant 6 mois, chaque fois que je me présentais pour un emploi, on me demandait toujours si j'avais le bac. Alors, j'ai décidé de faire de l'intérim. J'ai fait des remplacements, d'une journée à une semaine. On m'a fait classer des dossiers, coller des timbres. J'ai même fait des ménages. Mais surtout, je n'ai toujours rien de stable et ça m'angoisse.
>
> Sylvie

Répondez-lui.
Que pouvez-vous lui conseiller ?
Reprendre ses études en cours du soir ?
Suivre des stages ?

....
....
....
....
....
....
....
....
....
....
....
....
....

● ADVERBE DE MANIÈRE

5 Dérivation.

1. De quels adjectifs sont dérivés les adverbes de manière suivants :

– récemment : ....

– couramment : ....

– prudemment : ....

2. Quels sont les adverbes correspondant à :

– violent : ....

– brillant : ....

– intelligent : ....

6 **Vous collaborez à un journal d'économie.**

On vous demande de faire une comparaison de la situation financière des cadres de divers pays. En vous référant au diagramme, décrivez les différences de salaires et commentez-les brièvement du point de vue français.

(En francs)	France	Allemagne	Belgique	Italie	Pays-Bas	Grande-Bretagne
Rémunération annuelle brute	300 000	300 000	300 000	300 000	300 000	300 000
Charges sociales	49 000	37 000	36 000	26 000	48 000	20 000
Impôts	23 000	66 000	86 000	66 000	79 000	63 000
Revenu net	228 000	197 000	178 000	197 000	173 000	217 000

....
....
....
....
....
....
....
....
....

ESPACE LANGUE

Le passif et ses équivalents de sens

1 **Mettez en valeur.**

Mettez l'expression soulignée en valeur en en faisant le sujet d'une phrase passive.

1. On considérait l'ancienne série C du bac comme la meilleure.

....

2. Le bac ouvre la porte de l'enseignement supérieur.

....

3. Les académies ne choisissent plus les sujets.

....

4. Les lettres et la médecine attirent la moitié des étudiants de niveau universitaire.

....

5. Les entreprises recrutent les élèves des grandes écoles.

....

6. Elles proposent des stages sur mesure.

....

7. Elles accordent même un salaire aux étudiants qu'elle veulent recruter.

....

● TRANSITIVITÉ DES VERBES

2 Transitif direct ou indirect ?

Indiquez si les verbes des phrases ci-dessous sont transitifs directs (le complément suit directement le verbe) ou transitifs indirects (le complément est précédé d'une préposition).

Les candidats choisissent les options → *transitif direct*
L'industrie s'intéresse aux nouveaux procédés de fabrication. → *transitif indirect*

1. La crise frappe durement l'Europe. ....

2. On s'interroge sur le modèle européen. ....

3. La faiblesse de l'emploi tient à l'organisaion de l'économie. ....

4. L'Europe subit la concurrence des nouveaux pays industrialisés. ......

5. L'économie européenne a amélioré sa productivité. ....

6. Elle n'anticipe pas suffisamment les nouveaux besoins. ....

7. Les 2/3 des dépenses en faveur des chômeurs consistent en assistance. ....

8. On devrait s'associer aux propositions récentes. ....

Quelles sont les phrases qu'on peut mettre au passif ?

....
....
....
....
....

● PASSIF : ACCORD DU PARTICIPE PASSÉ

3 Mettez les phrases suivantes au passif.

Veillez à l'accord du participe passé.

1. Les diplômés ne trouvent pas toujours un premier emploi dès la fin de leur formation.
....

2. Ce laboratoire développe de nouveaux produits sans arrêt.
....

3. On élabore des recommandations pour les produits nouveaux.
....

4. On crée de nouvelles spécialités tous les jours !
....

5. Cette entreprise a introduit des systèmes informatiques plus performants.
....

6. On élit les députés tous les cinq ans
....

● L'INDÉFINI *ON* EN ÉQUIVALENCE DU PASSIF

4 Équivalences de sens.

Transformez les phrases en utilisant une forme passive.

1. On ne prononce pas le *t* final de forêt.
....

2. On doit boire ce vin très frais.
....

3. On emploie rarement ces termes.

....

4. On danse encore la bourrée en Auvergne.

....

5. On célèbre la fête nationale le 14 juillet..

....

6. On soigne fort bien ces maladies.

....

● LA FORME PRONOMINALE
  EN ÉQUIVALENCE DU PASSIF

5 **Récrivez les phrases suivantes en utilisant la forme pronominale du verbe.**

1. On vend bien ces produits.

....

2. On ne visite pas les musées nationaux le mardi.

....

3. On sert ce vin doux en apéritif.

....

4. On construit ce type de maison sur la côte.

....

5. On joue à la pelote basque au Pays basque.

....

6. On ne trouve ces plantes que dans cette région.

....

● *SE FAIRE* + INFINITIF

6 **Faites une seule phrase.**

Il avait pris son portefeuille. Il a été volé.
→ *Il s'est fait voler son portefeuille.*

1. Ses parents l'adorent. Il aime être gâté.

....

2. Il a des convictions fortes. Il veut être entendu.

....

3. Il avait fait un excellent exposé. Il croyait avoir été compris.

....

4. Il avait commis une grave erreur. Il avait peur d'être renvoyé.

....

5. Il croyait n'avoir énoncé que des idées évidentes. Il s'étonnait d'être contredit.

....

6. Il avait beaucoup travaillé. Il voulait être payé.

....

10 LE POIDS DES MOTS

ESPACE SOCIÉTÉ

● RELATION DE CAUSE À EFFET :
*DANS LA MESURE OÙ,
ÉTANT DONNÉ QUE, VU QUE*

1 Marquez la relation de cause à effet.

Employez une conjonction suivie de l'indicatif.

Je ne suis pas compétent. Il m'est difficile d'émettre une opinion.
→ *Comme je ne suis pas compétent, il m'est difficile d'émettre une opinion.*

1. Les journalistes ont adopté un code qui définit leurs droits et leurs devoirs. On devrait sanctionner ceux qui ne s'y conforment pas.

....

....

2. On doit défendre la liberté de l'information. Elle est souvent attaquée.

....

....

3. Il faut faire des réserves en publiant ces nouvelles. On n'en connaît pas l'origine.

....

....

4. On doit rectifier cette information. Elle est inexacte.

....

....

5. La vérité est la chose la plus importante. Il faut la faire respecter.

....

....

6. *Le Monde* s'adresse à un public d'intellectuels. Il propose des articles de fond qui exigent une certaine connaissance de la politique et des affaires.

....

....

● ÉCRITURE

2 La charte des journalistes.

La plupart des journalistes d'Europe occidentale ont adopté une charte en dix articles afin de définir leurs droits et leurs devoirs.

Voici les cinq premiers articles :

1. Respecter la vérité, quelles qu'en puissent être les conséquences.
2. Défendre la liberté de l'information, du commentaire et de la critique.
3. Publier seulement les informations dont l'origine est connue ou, dans le cas contraire, les accompagner des réserves nécessaires.
4. Ne pas user de méthodes déloyales pour obtenir des informations, photographies et documents.
5. S'obliger à respecter la vie privée des personnes.

Les cinq autres articles de cette déclaration portent sur :

6. les informations inexactes,

7. le secret professionnel,

8. le plagiat,

9. la publicité,

10. les pressions.

Rédigez-les brièvement de la même manière que les cinq premiers cités plus haut.

6. ....

7. ....

8. ....

9. ....

10. ....

● EXPRESSION DE LA CAUSE

3 **Complétez les phrases.**

Utilisez l'une des formes suivantes :

Pour / non que... mais parce que / en raison de /soit que... soit que.

1. .... leur pouvoir sur l'opinion, les médias sont très surveillés par les gouvernements.

2. Certains journaux sont très critiqués .... leur manque d'objectivité.

3. .... concurrencer les médias audiovisuels, la presse écrite doit constamment adapter son style et ses méthodes.

4. Le débat sur le code de la profession journalistique continue .... les principes fondamentaux n'aient pas déjà été mis en avant .... il est bien difficile de les faire respecter.

5. Certains journaux publient des nouvelles de façon un peu hâtive .... ils veuillent « faire un scoop », ... ils ne vérifient pas suffisamment les informations qu'ils diffusent.

● ÉCRITURE

4 **Comment sont-ils écrits ?**

1. Quels sont les procédés (a,b,c ou d) mis en œuvre dans les slogans suivants ?

1. RTL, il n'y a rien de tel !
2. Mammouth écrase les prix.
3. Il n'y en a qu'une, c'est la Une.
4. J'ai osé, j'ai goûté, j'ai aimé.
5. Pour toujours, et surtout pour tout de suite.

a. comparaison suggestive,
b. allitération (répétition d'un même son, d'une rime interne),
c. rappel d'un proverbe ou d'une citation très connue,
d. argument fondé sur une évidence.

2. Imaginez à quelle entreprise ou à quel produit s'applique chacun des slogans ci-dessus :

– Supermarché : ....

– Chaîne de télévision : ....

– Produit alimentaire : ....

– Station de radio : ....

– Bijou : ....

● PROCÉDÉS D'ÉCRITURE

5 **Le pouvoir des médias.**

Relisez le texte « Le pouvoir des médias », page 128 de votre manuel.

1. Quelle est la fonction grammaticale la plus fréquente du mot « journal » ou de ses substituts ?

2. Relevez les marques de généralisation dans ce texte (articles, quantificateurs…)

3. Quelles valeurs ont les verbes au présent et au futur ?

4. Trouvez des marques de doute dans le texte ?

5. Relevez les termes valorisants dans le texte. À quoi sont-ils appliqués ?

6. À quelle autorité Balzac fait-il appel pour renforcer ses dires ?

ESPACE LANGUE

Les emplois des pronoms personnels

● RÉFÉRENCE PRONOMINALE INTERNE

1 **Qu'est-ce qu'ils représentent ?**

Dans le texte « Le pouvoir des médias », page 128 de votre manuel, relevez les pronoms et dites ce qu'ils représentent.

Il s'est fait commerce … → *il = le journal*
où l'on vend … → *on = les commerçants, les boutiquiers*

....
....
....
....

Note : Dans l'exemple, « **l'** » n'est pas un pronom mais la survivance de l'article défini lorsque « **on** » était le cas sujet de « homme » en ancien français. On le trouve encore dans les textes à l'initiale, après voyelle pour éviter un hiatus dans les groupes comme « *si l'on, que l'on, où l'on* ».

● PRONOMS COMPLÉMENTS

2 **Répondez aux questions.**

Utilisez un pronom personnel dans votre réponse.

1. Tu joues toujours de la guitare ? ....
2. Tu vas toujours en vacances sur la côte ?...
3. Tu te moques toujours des « on-dit » ? ....
4. Tu as mené tes projets à bien ? ....
5. Tu es donc arrivé à tes fins ? ....
6. Tu me raconteras ton histoire ? ....

● PRONOMS COMPLÉMENTS DOUBLES

3 **Remplacez les groupes de mots soulignés par des pronoms.**

1. Vous avez annoncé <u>la nouvelle à vos parents</u> ?
....

2. Vous avez faxé <u>votre article au rédacteur</u> ?
....

3. Vous avez soumis <u>le texte à vos collègues</u> ?
....

4. Vous avez communiqué l'information aux intéressés ?

....

5. Vous avez fait part de vos idées à votre chef de service ?

....

6. Il a transmis vos propositions au directeur ?

....

● DISTINGUER ENTRE ANIMÉS
  ET INANIMÉS

4 **Remplacez les expressions soulignées par des pronoms.**

1. Elle s'intéresse à la peinture. ....

2. Elle s'intéresse à cet artiste. ....

3. Ne vous fiez pas à cet homme. ....

4. Ne vous fiez pas aux apparences. ....

5. Peut-on se passer de ses parents ? ....

6. Peut-on se passer de boire ? ....

7. Elle se moque des mondanités. ....

8. Elle se moque de son frère. ....

● PRONOMS COMPLÉMENTS
  APRÈS L'IMPÉRATIF AFFIRMATIF

5 **Remplacez les expressions soulignées par des pronoms.**

Parle-moi de tes nouveaux amis. → Parle-moi d'eux.
Donne de l'argent à ton frère. → Donne-lui-en.

1. Achetez-moi des fruits. ....

2. As-tu reçu une lettre de tes parents ? ....

3. Fais-moi écouter de la musique. ....

4. Donnez des conseils à ces jeunes. ....

5. Confiez-vous à vos amis. ....

6. Apprenez ce jeu aux enfants. ....

● *EN* (QUANTITÉ)
  ≠ *LE, LA, L', LES*

6 **Trouvez les questions.**

Remplacez le pronom de la réponse par un nom.

Non, ils n'y pensent pas. → Est-ce qu'ils pensent à leurs vacances ?

1. Oui, nous nous en chargeons.

....

2. Oui, je m'y attends.

....

3. Non, je ne m'en occupe pas.

....

4. Non, je ne m'en suis pas aperçu.

....

5. J'y ai consacré tout mon temps.

....

6. Non, je ne m'y suis pas plu.

....

7. Oui, je m'y intéresse. ....

....

8. Non, je n'y tiens pas. ....

....

● DISTINGUER ENTRE
ANIMÉS ET INANIMÉS

7 **Remplacez les expressions soulignées par des pronoms.**

J'ai acheté <u>quatre oranges.</u> → *J'en ai acheté quatre.*
J'ai mangé <u>les oranges que tu avais achetées</u>. → *Je les ai mangées.*

1. J'ai lu tous <u>les journaux</u>. ....

2. J'ai lu <u>certains de ces journaux</u>.. ....

3. Le chien a bu <u>le lait du chat</u>. ....

4. Le chien a bu <u>du lait</u> ? ....

5. Tu peux faire cuire <u>de la viande</u> ? ....

6. Tu peux faire cuire <u>la viande</u> ? ....

ESPACE DOCUMENTS ———————————————

Faire un exposé

DELF **A5 Oral 2 :** Exposé sur un thème, dans une perspective comparatiste.
Analyse et commentaire d'un document court et comparaison avec la culture d'origine.
Thème 5 : Les pratiques culturelles.

**COMPRÉHENSION
GLOBALE**

1 **Regardez le document publicitaire.**

1. Fermez les yeux : qu'est-ce qui reste fixé dans votre mémoire ?

2. Qu'en concluez-vous : par quoi a été attiré votre œil ? Quelle est l'accroche publicitaire qui fonctionne pour vous ?

3. Placez une règle sur le nez de la jeune femme en photo, dirigez votre règle vers l'angle supérieur droit puis vers l'angle inférieur droit du document : sur quel mot essentiel est passée votre règle dans les deux cas ?

2 **À quoi servent ces deux documents ?**

	la publicité	le tableau
1. De quoi parlent-ils ?	....	....
2. Par qui ont-ils été créés ?	....	....
3. Pour qui ont-ils été créés ?	....	....
4. Dans quels buts ?	....	....

FORME	Symboles positifs	Symboles négatifs
Anguleuse	virilité fermeté	dureté agressivité
arrondie	féminité douceur	mollesse
horizontale	calme	lourdeur

LIGNES	Symboles positifs	Symboles négatifs
droite horizontale	solidité tranquillité paix	passivité
courbes	élégance douceur joie	instabilité
fine	délicatesse	fragilité
épaisse	vigueur puissance	brutalité violence

Michèle Jouve,
La nouvelle communication publicitaire, 1992, Éditions Bréal.

3 **Quel message vous transmet le document publicitaire ?**

1. À quoi êtes-vous le plus sensible dans cette publicité : Au produit (lingerie féminine) ? À la marque ? À la femme ? Au discours ? À l'univers représenté ?

2. En utilisant le tableau, interprétez les formes et les lignes :
– de la photographie : observez le cadrage choisi.
– du slogan : observez sa typographie et sa place dans le cadre.
– de la marque « Dim » : combien de fois apparaît-elle ? Avec quelles typographies ? Dans quelles parties du cadre ?

3. Synthétisez vos idées en complétant le tableau suivant :

	Lignes	Formes	Symboles
La femme	…………	…………	…………
Dim moi tout	…………	…………	…………

4. Vous pouvez maintenant qualifier la relation entre Dim et la jeune femme.
Sélectionnez les mots qui connotent cette relation et ajoutez ceux auxquels vous pensez.
la connivence, la froideur, l'indifférence, la complicité, la vie commune, la vie privée, la vie sociale, la vie publique, la confiance, la confidence, l'intimité, l'hypocrisie, l'authenticité, le secret, la sensualité, la tendresse, la méfiance, etc.

5. Quelle est la stratégie publicitaire utilisée par Dim ?
Complétez l'énoncé suivant :

Mettant en scène une relation de ………, Dim s'adresse à ses clients potentiels sur le ton de ……… . Le message de cette publicité est donc le suivant : entre nous et la femme, c'est une longue histoire de ……… .

COMPARAISON

4 **Isolez le trait culturel que vous allez comparer.**

Choisissez parmi ces deux suggestions :

1. Comparer la stratégie publicitaire choisie par Dim (ici basée sur l'identification entre la femme, la marque Dim et la cliente) avec une stratégie utilisée par une marque de produits comparables que vous connaissez bien.

2. Comparer l'image de la « femme Dim » avec des images de femmes dans les publicités de votre pays.

PRÉSENTATION ORALE

5 **Faites le plan de votre intervention en vous aidant de l'exemple proposé.**

1. Présentation et interprétation du document publicitaire.

Après l'avoir complétée, vous pourrez vous inspirer de l'introduction suivante :

Rien, dans cette publicité, n'indique qu'il s'agit ici de vendre de la .... féminine aux femmes françaises. Ce que vend cette publicité, c'est d'abord une .... et une relation de .... entre la femme et « sa » marque.

Partant de ce constat, je vais .... une comparaison entre Dim et une publicité qui touche chez nous le même type de consommateurs : des ...., à qui l'on vend une marque, un .... et surtout une image de « la » ....

En m'appuyant sur la dernière campagne de X, je montrerai simplement en quoi cette marque a développé une stratégie très similaire (ou très différente).

2. Développement de la comparaison de deux stratégies publicitaires : celle de Dim et celle de X.

Aidez-vous des formules linguistiques suivantes :

> **Dans une même phrase vous pouvez utiliser les articulateurs :** d'une part..., d'autre part... ; d'un côté..., d'un autre côté...
> **Pour enchaîner deux idées :** comme je l'ai déjà dit, c'est pourquoi, cela montre bien que, à l'opposé, d'un autre côté...
> **Pour introduire une nouvelle idée :** or, par ailleurs, en revanche...
> **Pour reformuler une idée :** bref, en résumé, pour dire les choses autrement, vous l'avez compris, on l'aura compris...

3. Élargissement et conclusion.

Vous pouvez vous inspirer de l'exemple suivant :

On peut se poser la question suivante : l'évolution des messages publicitaires reflète-t-elle certaines évolutions culturelles ?

Il y a quelques années, Dim présentait une image de femme citadine, aux grandes jambes minces, courant après des bus, des métros, le temps, des rendez-vous. Aujourd'hui, Dim présente une femme naturelle, paisible, dans son intimité. Comme si les consommateurs français (femmes et hommes !) étaient désormais réceptifs à cette image-là aussi.

L'évolution de X est très .... : ....

On le voit, comparer ces deux marques reste un exercice difficile pour une raison évidente : ....

Cependant, même imparfaite, cette comparaison m'a quand même permis de voir que ....

ESPACE SOCIÉTÉ

● PARAPHRASE

1 Quels sont les dangers qui menacent la télévision ?

Paraphrasez librement les critiques suivantes et classez-les par ordre d'importance.

Réduction de l'information à l'image.
→ *Les images ont souvent l'inconvénient de réduire la portée d'un événement.*
ou → *Quelques images choc rendent compte d'un événement en le dénaturant.*

1. Dramatisation excessive des faits. ....

....

2. Recherche de l'effet émotionnel. ....

....

3. Superficialité. ....

....

4. Soumission au pouvoir politique. ....

....

5. Soumission au pouvoir économique des annonceurs. ....

....

6. Accent mis sur « le voir pour le croire. » ....

....

7. Manque d'autocritique de la part des journalistes. ....

....

Ordre d'importance (des plus graves aux moins graves) :

....

● SUBJONCTIF
   DANS LA SUBORDONNÉE

2 Que faudrait-il faire ?

Qu'est-ce qui pourrait améliorer, d'après vous, la qualité de votre télévision nationale ? (Attention au mode du verbe de la proposition subordonnée.)

1. Il faut que ....

2. Il serait important que ....

....

3. Il est souhaitable que ....

....

4. Il est nécessaire de ....

....

5. Il est indispensable que ....

....

● ARGUMENTATION

3 **Ces raisons sont-elles valables ?**

Relisez le document « Dix raisons pour ne pas avoir la télé », page 139 de votre manuel, et imaginez dans chacun des cas des arguments contraires.

Par exemple : *le manque de temps...*

→ *Personne n'est obligé de passer plusieurs heures chaque jour devant sa télé. Comme on regarde les émissions surtout le soir, on peut trouver le temps de faire du sport et de se balader dans la journée.*

....

....

....

....

....

....

....

....

....

● INDÉFINIS

4 **Complétez avec des indéfinis.**

Utilisez : *quiconque, certains, d'autres, plusieurs, quelqu'un, tout, n'importe quoi, les uns... les autres.*

1. .... les émissions ne sont pas criticables.

2. Il ne faut pas regarder ....

3. Il y a .... émissions que je suis régulièrement.

4. .... les chaînes n'ont pas le même style : .... se spécialisent dans le sport et les variétés, ... dans les films, ... encore dans les émissions culturelles.

5. Si .... critique la télé, ... prend sa défense.

6. Ce qui est bon pour .... n'est pas bon pour ....

7. .... films sont projetés par .... chaînes le même mois.

8. .... réfléchit ne s'aperçoit que trop des dangers de la télévision.

● EFFACEMENT DE L'AGENT

5 **Mettez l'objet en valeur.**

Effacez l'agent (l'auteur de l'action) s'il n'apporte pas d'information nouvelle.

Les auditeurs écoutent la radio surtout le matin.

→ *La radio est écoutée surtout le matin.*

1. La radio intéresse surtout les femmes au foyer.

....

2. La radio attire moins les étudiants et les cadres.

....

3. Les auditeurs suivent les programmes 2 heures 47 par jour en moyenne.

....

4. Certaines radios privilégient le lien direct avec les auditeurs, l'interactivité.

....

5. Les radios acceptent la sanction de l'audimat.

....

6. Nous avons atteint 13,9 % d'auditeurs en fin 89.

....

7. Nous avons mis nos programmes au goût du jour.

....

● INDÉFINIS

6 **Complétez avec des indéfinis.**

Utilisez : *chacun, divers, d'autres, quelque chose, certain, n'importe quel, personne, chaque.*

1. .... radios, comme Europe 1, privilégient l'information et le divertissement, ... comme RTL, la convivialité.

2. .... ne peut dire quel est le pourcentage réel d'écoute de .... station.

3. .... choisit l'émission qui lui convient.

4. .... auditeurs ont téléphoné pour exprimer .... plaintes.

5. Réalisez-vous .... de différent ou organisez-vous vos programmes comme .... autre chaîne ?

ESPACE LANGUE

Les emplois du participe présent et du gérondif

● ADJECTIVATION

1 **Complétez les phrases.**

Utilisez soit un participe présent, soit un participe passé employé comme adjectif. (Attention aux accords.)

1. (satisfaire) .... aux critères imposés, il envoya son CV.

2. Les conditions proposées étaient particulièrement (satisfaire) ....

3. On nous a présenté des images (fasciner) ....

4. Le magicien démontra sa virtuosité (fasciner) .... les spectateurs.

5. Les enfants sont moins (obéir) .... de nos jours.

6. (obéir)................. au signe de l'agent, il rangea sa voiture le long du trottoir.

● ÉQUIVALENCES

2 **Récrivez les phrases suivantes**

Remplacez les participes présents soit par une expression marquant la simultanéité (*au moment où* + indicatif, *en train de* + infinitif), soit par une proposition subordonnée de cause ou de conséquence (*comme, malgré...*).

1. Le premier film de Louis Lumière montre des ouvriers sortant d'une usine.

....

2 N'ayant pas entendu l'annonce, elle se trompa de train.

....

3. La tempête battant son plein, il n'était pas question de sortir.

....

4. Ne possédant pas les qualifications nécessaires, il ne pouvait pas poser sa candidature.

....

5. Il a surpris ses amis <u>complotant contre lui</u>.

....

6. La circulation <u>étant particulièrement difficile</u>, il est arrivé en retard.

....

● PARTICIPE PRÉSENT
≠ GÉRONDIF

3 **Distinguez le participe présent du gérondif.**

Mettez les verbes entre parenthèses au participe présent ou au gérondif selon le cas.

1. C'est (forger) .... qu'on devient forgeron. (proverbe)

2. Noël (approcher) ...., les gens décorent leurs sapins.

3. (arriver) .... trop tard, il n'a pas pu prendre part à la compétition.

4. (ne pas connaître) .... la ville, elle errait au hasard dans les rues.

5. (sortir) .... de chez lui, il a rencontré un vieil ami.

6. (s'estimer) .... lésés, les employés firent grève.

7. (être) .... absent, il n'était pas au courant de la situation.

8. (régler) .... ses affaires, il partit en voyage.

● INFINITIF ≠ GÉRONDIF

4 **Distinguez l'infinitif du gérondif.**

Mettez les verbes entre parenthèses au gérondif ou à l'infinitif précédé d'une préposition.

1. Il s'est récemment remis (écrire) ....

2. C'est (marcher) .... qu'on prouve le mouvement.

3. Il ne lui restait plus qu' (relire) .... son texte.

4. Vous trouverez (chercher) .... bien.

5. Laisse les enfants (jouer) .... dans le jardin.

6. Il faut commencer (faire) .... les bagages.

7. Tu y arriveras (s'appliquer) ....

8. Il pensait à tout autre chose (travailler) ....

● EMPLOIS DU GÉRONDIF

5 **Qu'est-ce qu'ils expriment ?**

Dites si les gérondifs suivants expriment :
a. la simultanéité, **b.** la manière, **c.** la condition, **d.** la concession.

1. En vous remerciant à l'avance, je vous prie d'agréer, Monsieur, l'expression de mes sentiments distingués. ......

2. C'est en travaillant dur qu'on réalise ses projets. ......

3. En ne portant pas plainte, tu perds toutes tes chances d'obtenir satisfaction. ......

4. En mangeant très peu, ils grossissent quand même. ......

5. Même en supprimant le sucre de son alimentation, il n'arrive pas à maigrir. ......

6. En rentrant, nous sommes passés voir nos amis. ......

7. Il a causé un accident. en voulant éviter un cycliste. ......

8. En prenant des précautions, tu éviteras de tomber malade. ......

● EMPLOIS DU GÉRONDIF

6 **Récrivez les phrases suivantes en utilisant un gérondif.**

1. Si tu téléphones, tu pourras me joindre.

....

2. Ferme la porte quand tu sortiras.

....

3. Si tu te dépêchais, tu arriverais à temps.

....

4. Même si elle habite loin de son bureau, elle arrive toujours à l'heure.

....

5. Si vous faites ces exercices, vous comprendrez mieux les emplois du gérondif.

....

6. Concentrez-vous quand vous étudiez.

....

● EMPLOIS
DU PARTICIPE PRÉSENT

7 **Exprimez la cause ou la conséquence.**

Réunissez les deux phrases. Utilisez chaque fois un participe présent.

1. Elle a vécu longtemps à l'étranger. Elle a perdu ses amis de vue.

....

2. Je suis né en 1948. Je n'ai pas connu la guerre.

....

3. Il a passé plusieurs années à Toulouse. Il a pris l'accent du Sud-Ouest.

....

4. Il n'a pas travaillé suffisamment. Il a échoué à ses examens.

....

5. Je n'ai pas reçu de leurs nouvelles. J'ignore ce qui se passe chez eux.

....

6. La cigale chanta tout l'été. Elle se trouva fort dépourvue quand la bise fut venue.

....

ESPACE DOCUMENTS ───────────────

Le compte rendu

> **DELF** **A5 *Écrit*** : Compte rendu d'un texte.
> **Thème 6** : La civilisation et la culture contemporaines.

COMPRÉHENSION
GLOBALE

1 **Numérotez les paragraphes du texte.**

2 **Lisez-le une première fois et soulignez son circuit de lecture.**

1. Diriez-vous que ce texte cherche plutôt à informer ? à divertir ? à avertir d'un danger ? à convaincre ? ou à faire réagir ses lecteurs ?

2. À partir des définitions suivantes, reformulez la thèse de J.C. Guillebaud :
  – génie : être mythique, esprit bon ou mauvais qui influe sur la destinée ;
  – subversif : qui renverse, détruit l'ordre étali.

Pour J. C. Guillebaud, la télévision est…

Le génie subversif de la télévision

[...] Dans ce qui s'imprime sur un écran cathodique, dans le « message » qui se trouve transmis d'un bout du monde à l'autre, gît bel et bien une part de mystère. Pour parler clairement, personne ne saurait prévoir à l'avance quelle sorte de signal sera véritablement échangé entre les hommes, par écran interposé. Ni le journaliste, ni le technicien de l'audiovisuel, ni l'homme politique installé sous les « sunlights » du studio, ni les créateurs ne savent par avance ce qui « passera à l'antenne », comme on dit. Pourquoi ? Parce que la télévision, par nature, produit globalement un « message » qui n'est ni de la parole, ni de la réflexion, ni de la pure image, ni une simple duplication du réel, mais un mélange complexe de tout cela. Si complexe, en vérité, que personne n'est en mesure de le gérer totalement.

À la télévision, un geste infime que saisit la caméra peut annuler subitement le contenu d'un propos ; la force imprévue d'une seule image peut effacer le contenu des mille paroles censées l'accompagner ; la dramaturgie accidentelle d'un « direct » de quelques secondes peut subitement allumer, dans des millions de foyers à la fois, un véritable incendie d'émotions ; un silence, un simple silence, peut transmettre davantage d'informations au sens strict du terme qu'un discours abondant. Ce que scrute l'œil impitoyable de la caméra, c'est une authenticité indicible, une mystérieuse capacité à émouvoir ou à convaincre, une substance insaisissable. Cet aléa fondamental, ce « hasard organi-sateur » invite à la modestie. C'est pourquoi, sans doute, il est rarement souligné.

On préfère insister d'ordinaire sur le caractère puissamment manipulateur de l'image. Pas question, bien entendu, de nier ici cette puissance. Le génie subversif de la télévision, qui, désormais, saute les frontières (antennes paraboliques), rebondit sur les satellites, déjoue toutes les censures, ne fut pas pour rien, par exemple, dans l'effondrement du communisme. La guerre du Golfe et le délire télévisuel qui l'accompagne ont démontré par ailleurs que, même en démocratie, des opinions publiques pouvaient être momentanément pétrifiées, politiquement neutralisées par une sur-abondance (calculée) d'images. Cette puissance manipulatrice incontestable explique que la télévision constitue, dans tous les pays du monde, un enjeu politique de première importance. Rappelons que dans cent deux pays dûment recensés, l'audiovisuel se trouve encore légalement et directement contrôlé par l'État. Mais dans tous les autres même les plus démocratiques le pouvoir politique n'a jamais renoncé totalement à exercer son emprise sur le petit écran. Les avatars du « pay-sage audiovisuel » y alimentent au contraire un débat permanent et cafouilleux.

Il y a plus encore. En réalité, l'irruption de cette « hégémonie télévisuelle » bouleverse, jusque dans ses fondements essentiels, le fonctionnement de la démocratie elle-même. La télévision ruine l'influence des corps intermé-diaires et des institutions représen-tatives (Parlement, etc.) ; elle sub-stitue partiellement au principe électif le règne fugitif et incertain du sondage d'opinions ; elle privi-légie l'effet d'annonce au détri-ment de l'action politique propre-ment dite ; elle incite les politiques à rebondir d'un « coup médiatique » à l'autre ; en médiatisant l'instruc-tion criminelle, elle ébranle le sys-tème judiciaire lui-même, etc. On pourrait prolonger indéfiniment cette série de constats.

On discerne bien, en tout cas, ce qui est en jeu là-dedans. Face à cet instrument inouï, surgi inopiné-ment voici quelques dizaines d'années à peine, devant cette « chose » encore mystérieuse qui échappe largement à l'intelligibilité et au contrôle, nous en sommes tous au stade de l'apprentissage tâtonnant. Et aux deux bouts de la chaîne. A l'apprentissage de la manipulation qui fera des progrès, n'en doutons pas, s'oppose l'apprentissage des citoyens-télé-spectateurs. Ceux-ci apprennent peu à peu à déjouer les men-songes, à décrypter la fausse évi-dence de l'image, à résister aux « matraquages cathodiques » que, pour l'instant, ils subissent assez passivement. Entre ces deux apprentissages, une course de vitesse est engagée. La démocra-tie en est l'ultime enjeu.

Jean-Claude GUILLEBAUD
Le courrier de l'UNESCO
Octobre 1992.

COMPRÉHENSION DÉTAILLÉE

3 Analysez l'articulation logique.

1. Le premier paragraphe est structuré autour d'une affirmation, d'une question et d'une explication ; retrouvez-les.

2. Observez l'enchaînement entre les paragraphes 2 et 3 : « *On préfère insister d'ordinaire...*» Est-ce une cause ou une conséquence de la phrase qui précède ?

3. Entre les paragraphes 3 et 4 : selon vous, « *Il y a plus encore* » annonce la reprise d'une idée déjà formulée ou introduit une nouvelle idée ?

4. Entre les paragraphes 4 et 5 : par quelle autre formule pourriez-vous remplacer « *On discerne bien, en tout cas...* » ?

4 Reformulations.

1. Introduction : Reformulez le contenu en complétant l'énoncé suivant :
Les « .... » produits par la télévision sont tellement .... que ni le .... qui les reçoit, ni ceux qui les fabriquent ne peuvent vraiment en contrôler les effets.

2. Conclusion : Choisissez l'énoncé qui réformule le mieux l'idée.
  – La télévision sera démocratique lorsque les téléspectateurs auront appris à se prémunir contre la manipulation qu'elle pratique de mieux en mieux.
  – Pour que vive la démocratie, le téléspectateur, encore trop passif, doit apprendre le plus vite possible à résister aux manipulations croissantes de la télévision.

3. Développement : Attribuez les titres suivants aux sous-parties qui conviennent :
  – Paragraphe ...... : Le mystérieux pouvoir de l'image.
  – Paragraphe ...... : La télévision : un enjeu politique majeur.
  – Paragraphe ...... : Influences de la télévision sur le jeu démocratique.

RÉDACTION

5 À partir du plan, écrivez votre compte rendu en 150 mots environ.

Si vous souhaitez inventer un autre plan que celui adopté par J.C. Guillebaud, vous pouvez partir des recommandations qu'il formule dans sa conclusion et démontrer l'urgence de celles-ci en utilisant les arguments exposés dans le développement.

ESPACE SOCIÉTÉ

● SIGLES DE PARTIS POLITIQUES

1 **Reconnaissez-vous ces sigles ?**

Écrivez le nom complet du parti et inscrivez le nombre de députés qui le représente à l'Assemblée nationale élue en 1993. Aidez-vous de votre manuel p. 149 si besoin est.

1. RPR : ....

2. PC : ....

3. PS : ....

4. UDF : ....

*RPR : nouveau logo

● RELATIONS DE CAUSE À EFFET

2 **Complétez les opinions suivantes.**

Utilisez des mots explicitant les relations entre causes et conséquences.

1. Le Président peut renvoyer le Premier ministre, ... celui-ci a tout intérêt à savoir gouverner !

2. .... le Président veut dissoudre l'Assemblée nationale, nous élirons nos députés plus tôt que prévu !

3. Mais bien sûr que le Président a un énorme pouvoir de décision en matière de politique étrangère ...., il a le droit de prendre seul des décisions de portée internationale !

4. Vous dites que le Président peut consulter les citoyens par référendum ? ...., il a la possibilité de court-circuiter les autres pouvoirs ?

5. Si j'ai bien compris, le Premier ministre a la charge des affaires de la nation ...., c'est à dire celui de proposer des réformes pour l'administration.et le service public.

6. Le Premier ministre doit défendre sa politique devant les députés .... ce sont eux qui voteront les lois pour les faire appliquer.

● LE SENS DE L'ENGAGEMENT
  POLITIQUE

3 **Lisez les opinions exprimées par de jeunes Français.**

Dites s'ils se sentent engagés politiquement ou s'ils veulent se désengager des partis actuels.

Engagé	Désengagé	Autre

1. Engagé, ça ne veut pas forcément dire être dans un parti politique. Ça veut dire bouger avec son temps.
2. Dire « engagé », pour moi c'est un phénomène de mode. J'ai mes convictions et je soutiens mon parti.
3. Je pense qu'il est important de militer au sein d'un parti si on veut être un citoyen responsable.
4. On voit de moins en moins de différence entre les partis excepté pour Le Pen et ce qui reste des communistes.
5. C'est la politique qui mène le monde et on ne peut pas s'en désintéresser.
6. Mes parents prétendent qu'ils sont de gauche et ils disent des trucs délirants. Je ferai tout pour ne pas me faire prendre au piège de la politique !
7. Gauche et droite, c'est la même chose, c'est bonnet blanc et blanc bonnet.
8. Pour moi, s'engager dans un parti politique c'est mener une action près des autres dans le quartier où on vit.

● PRONOMS RELATIFS

4 **Reliez les deux phrases avec un pronom relatif.**

Utilisez l'un des pronoms relatifs suivants : *dont, où qui, lequel* (précédé d'une préposition si nécessaire).

J'ai lu les livres de Simone de Beauvoir. J'ai beaucoup d'estime pour elle.
→ *J'ai lu les livres de Simone de Beauvoir pour laquelle / pour qui j'ai beaucoup d'estime.*

1. Ils approuvaient les institutions. Il s'y sont ralliés.
....

2. Ils ne partageaient pas tous les idées de Jacques Chirac. Ils ont cependant voté pour lui.
....

3. Ils appartiennent à un grand parti. Ils militent pour lui.
....

4. Les grandes causes la passionnaient. Elle leur a consacré tout son temps.
....

5. Il y a beaucoup de problèmes à résoudre. Nous aimerions être consultés sur ces problèmes. ....

6. Nous luttons pour un monde nouveau. Les gens y seront plus heureux.
....

7. Nous regrettons ce temps-là. Tout allait mieux alors !
....

8. Le chemin sera difficile. Il faut y passer.
....

● MISE EN RELIEF
C'EST... + PRONOM RELATIF

5 Mettez les mots soulignés en relief.

1. Simone de Beauvoir a publié le premier tome de *La Force des choses* en 1963.

....

2. Sartre et elle discutaient de politique.

....

3. Ils souhaitaient la défaite du capitalisme.

....

4. Ils voulaient s'adresser directement aux hommes.

....

5. Il lui fallait parler de lui.

....

6. Ils comptaient sur leurs amis de la Résistance.

....

7. Notre sort était lié au leur.

....

8. En 1939, Sartre notait qu'il était guéri du socialisme.

....

9. Il s'agissait de leur liberté.

....

10. Nous devions ce changement d'attitude à la guerre.

....

● ÉCRITURE

6 Portrait-robot.

Faites un portrait-robot du Français moyen, d'après ce tableau :

Question : Voici un certain nombre de mots. Quels sont tous ceux que vous jugez les plus positifs, ceux que vous préférez ?					
JUSTICE	68 %	TOLÉRANCE	39 %	CHANGEMENT	10 %
LIBERTÉ	60 %	PROGRÈS	33 %	COMPÉTITION	9 %
SÉCURITÉ	55 %	ORDRE	21 %	RASSEMBLEMENT	8 %
ÉGALITÉ	49 %	EFFORT	20 %	RÉFORME	7 %
DROITS DE		PARTICIPATION	16 %	COMPROMIS	5 %
L'HOMME	48 %	RIGUEUR	11 %	RÉVOLUTION	3 %

Ce à quoi le Français tient le plus, c'est à la justice : En effet, 68% des Français mettent la justice avant la liberté qui ne recueille que 60 % des préférences...

....
....
....
....
....
....
....
....
....

ESPACE LANGUE ──────────────────────

L'emploi des prépositions

• COMPLÉMENTS DES ADJECTIFS

1 **Transformez.**

Faites des phrases dans lesquelles l'adjectif est suivi d'un complément.

Le faire, c'est possible.
→ *Il est possible de le faire.*

1. Entendre du bruit toute la journée, c'est insupportable.

....

2. La chaleur, il y est insensible.

....

3. Il répare des objets. Il est très habile.

....

4. Voyager, c'est instructif.

....

5. Le « qu'en-dira-t-on », elle y est insensible.

....

6. Peindre ce paysage, c'est facile.

....

• EMPLOI DES PRÉPOSITIONS

2 **Complétez avec *à*, *sur*, *dans* ou *en*.**

1. Il voyage .... train.

2. Il se promène .... la rue.

3. Il se regarde .... la glace.

4. Il vit .... France.

5. Il a passé plusieurs années .... prison.

6. Il est assis .... un fauteuil.

7. Il est assis .... une chaise.

8. Il est allé .... village.

9. Il s'est promené .... le jardin.

10. Les chamois vivent .... les montagnes.

11. Elle aime grimper .... arbres.

12. On apercevait un avion .... l'horizon.

13. On s'interroge .... leurs motivations.

14. Elle a écrit un ouvrage .... les plantes médicinales.

• EMPLOI DES PRÉPOSITIONS

3 **Complétez avec la préposition qui convient.**

1. On se perd .... conjectures.

2. Le cycliste a dérapé .... le verglas.

3. On l'a emmené .... ambulance.

4. Il n'est pas resté longtemps .... l'hôpital.

5. On est rassuré .... son sort.

6. Il se rétablira .... quelques jours.

7. Il sera remis sur pied .... quelques jours.

8. On s'interroge .... les causes de l'accident.

● RECTION DES VERBES

4 **Complétez avec la préposition qui convient.**

1. Ils jouent .... violon. Ils jouent .... football.

2. Elles ont décidé .... partir. Elles se sont décidées .... partir.

3. Ils ont répondu .... leurs correspondants. Ils ont répondu .... leurs méfaits devant le tribunal.

4. Elle a manqué .... vitamines. Elle a manqué .... ses promesses.

● VERBES À DEUX
  CONSTRUCTIONS

5 **Complétez avec *à* ou *de,* si besoin est.**

1. J'ai décidé ...... mon frère ...... construire sa maison.

2. Il a promis ...... ses parents ...... les inviter ...... dîner.

3. Nous avons convaincu ...... nos amis ...... venir nous voir.

4. Ils ont invité ...... leurs amis ...... passer quelques jours avec eux.

5. Elle a refusé ...... son directeur ...... faire des heures supplémentaires.

6. Le colonel a commandé ...... ses soldats ...... cesser le combat.

7. Ils ont menacé ...... leurs voisins ...... leur faire un procès.

8. Elle a supplié ...... ses parents ...... la laisser sortir.

ESPACE DOCUMENTS

Faire un compte rendu écrit.

 A5 *Écrit :* Compte rendu d'un texte.
Thème 4 : Les institutions.

COMPRÉHENSION
GLOBALE

1 **Numérotez les paragraphes du texte et analysez le circuit de lecture.**

1. Repérez les différents aspects du circuit de lecture : le surtitre, le titre, le sous-titre, le chapeau, la note biographique sur le chercheur, les questions du journaliste.

2. Par qui a été écrit ce texte ? À la suite de quoi ?

3. Relisez le chapeau et les questions du journaliste et dites si vous êtes d'accord avec les reformulations suivantes :
  – Les mutations du civisme sont les manifestations visibles de la crise du domaine politique.
  – Les mutations du civisme sont la cause de la crise politique.

4. Soulignez, dans le texte, les termes qui permettent au lecteur de repérer les quatre parties de cet exposé.

LES ENJEUX POLITIQUES D'ICI L'AN 2000
Rencontre avec Pascal Perrineau

Propos retranscrits par J.-C. Ruano-Borbalan

La politique est en crise : perte de confiance, mutations du civisme, décalage entre la société et les partis.
Comment interpréter l'émergence de l'écologie ?
Quelle est la place présente et future de la politique ?
[...]

De quoi parle-t-on lorsque l'on évoque la crise du politique ?
Quelles en sont les manifestations concrètes ?

Les visages de la mutation sont nombreux. De 1988 à 1991, quelles que soient les consultations électorales, l'abstention augmente. Ce phénomène demeure sous-estimé, si l'on y ajoute la non-inscription : en France un jeune sur trois n'est pas inscrit. Cependant il faut relativiser cette faible participation en la comparant à celles des principales démocraties occidentales. En Suisse, par exemple, le taux de participation électorales est souvent de l'ordre de 30 à 40 % lors des « votations » (référendums). Derrière la chute de la participation, il faut voir principalement la mutation de la notion de civisme dans les jeunes générations. Ce dernier point est nouveau pour l'avenir : contrairement à certaines idées reçues le civisme n'est pas mort, mais son contenu a changé. Une récente enquête de l'Institut CSA montre que, dans les tranches d'âge supérieures (50 ans et plus), persistent des notions comme le droit de vote, la défense de la patrie, et toute une série de notions traditionnelles de définition du civisme. Chez les jeunes, ces thèmes sont marginaux. Apparaissent en premier lieu des thèmes comme « acheter des produits non polluants », « faire attention à l'utilisation des déchets », qui, pour eux, définissent ce que c'est qu'être un bon citoyen. Il y a de ce point de vue, une crise d'adaptation entre la demande politique, en particulier des jeunes

citoyens, et l'offre politique qui persiste dans des formes traditionnelles de participation électorale ou de militantisme. Face au décalage entre l'offre des partis et la demande, les jeunes sont tentés d'explorer des « ailleurs », en particulier l'ailleurs écologiste.

La chute de l'engagement constitue la deuxième manifestation majeure de la crise du politique. Certes, historiquement, la France n'est pas un pays d'engagement important. Cependant, depuis le milieu de la décennie 80, le nombre des militants politiques ou syndicaux chute de manière spectaculaire. Les militants politiques rassemblent 1 à 2 % des électeurs. Il s'agit du pourcentage le plus faible des démocraties occidentales. Dans ces conditions quelle peut être la légitimité, lors de la désignation des candidats, du choix d'organisations aussi petites, au nom de millions d'électeurs ? [...] De la même manière, on estime que seuls 7 à 8 % des actifs salariés adhèrent à un syndicat, constituant le plus faible taux d'adhésions de tous le monde occidental. Ceci pose un redoutable problème de légitimité pour les représentants syndicaux lors des négociations ou des conflits sociaux.

Le troisième visage de la crise est attesté par l'incroyable mauvaise image de la classe politique en France. Si l'on suit les enquêtes par sondage qu'effectue régulièrement la SOFRES, on constate la dégradation de l'image de la politique. Au milieu de la décennie 70 une majorité de Français considérait que les hommes politiques étaient attentifs aux préoccupations des citoyens, désormais seul un tiers pense de la même manière. L'image de l'honnêteté des hommes politiques s'est également dégradée en une quinzaine d'années. [...] On assiste à une mise en cause du « noyau dur » de notre système politique à travers la crise de la représentation. Ainsi, le doute s'est installé quant à l'efficacité et au bon fonctionnement de la démocratie. Certes, cet état de fait n'est pas uniquement français, mais la France

est de loin le pays le plus atteint. Depuis bientôt dix ans, de manière durable, se développe et persiste un fort courant protestataire, de l'ordre du tiers du corps électoral.

Le repli sur la sphère privée et la chute corrélative de l'investissement dans l'action collective, caractéristique commune de l'évolution des sociétés occidentales durant la décennie écoulée, constituent la quatrième dimension de la crise politique. Si l'on se réfère à l'ouvrage d'A.O Hirschman, *Bonheur privé et action publique*, on constate qu'il s'agit de cycles d'alternance entre un investissement très fort dans l'action collective et un investissement dans les valeurs individuelles ou familiales. Le début des années 80 fut un moment de recentrage (le retour aux petites unités de convivialité). Après un point maximum à la fin des années 1980 on perçoit les soubresauts d'un réinvestissement dans l'action collective. Le taux de participation accru aux élections de mars 1992 couronne une période où des mobilisations d'envergure ont eu lieu traduisant un déplacement de l'investissement public. [...]

Peut-on envisager sommairement le destin des mutations en cours ?

La crise s'exprime par le retrait d'un certain jeu politique, par l'apparition de phénomènes protestataires. Des fractions importantes du corps électoral ne se retrouvent pas dans la pratique et l'idéologie du vieux clivage gauche/droite. Les vieilles organisations militantes, les vieilles modalités de l'action politique agonisent. De nouvelles naissent. La perte des repères provient essentiellement du fait que l'ancien cohabite avec le neuf et que les modalités de l'avenir demeurent encore extrêmement floues.

P. Perrineau, né en 1950, est agrégé de sciences politiques, professeur d'universités et directeur du Centre d'étude de la vie politique française.

COMPRÉHENSION DÉTAILLÉE

2 Analysez la première partie.

1. La chute de la participation aux élections cache une première mutation. Laquelle ?
2. La demande politique des jeunes a changé par rapport à leurs aînés. Donnez des exemples qui illustrent ces changements.
3. À quel mouvement profitent ces changements ?
4. Donnez un titre à cette première partie.

3 Analysez la deuxième partie.

1. Complétez l'énoncé suivant en choisissant parmi les termes proposés : *représentatifs, légitimes, légitimité, représentativité.*
Suite à la chute spectaculaire du nombre des adhérents aux partis politiques et aux syndicats, on peut se demander si les militants de ces partis et de ces syndicats sont .... de l'ensemble des citoyens. Se pose donc le problème de leur ....
2. Donnez un titre à cette deuxième partie.

4 Analysez la troisième partie.

1. Quelles sont les deux qualités, importantes aux yeux des Français, qu'ont perdues les hommes politiques depuis quinze ans ?
2. Selon P. Perrineau, la démocratie en France est victime d'une « crise de la représentation ». Cela signifie :
   – qu'un fossé se creuse entre les Français et le système politique censé les représenter démocratiquement ;
   – que la France souffre d'une mauvaise image de la démocratie.
3. Donnez un titre à cette troisième partie.

5 Analysez la quatrième partie.

1. De quoi parle l'ouvrage d'A. O. Hirschman :
   – D'alternance entre périodes d'actions collectives et périodes centrées sur le bonheur privé ?
   – Du choix définitif que peut faire une société de l'un ou de l'autre modèle ?
2. Selon la théorie du cycle d'alternance, vous diriez que :
Si les années 1980-1990 ont été marquées par ...., les années 1990-2000 sont d'ores et déjà marquées par ....
3. Donnez un titre à cette quatrième partie.

6 Choisissez la phrase qui, dans la conclusion, synthétise le mieux la thèse de P. Perrineau.

1. Des fractions importantes du corps électoral ne se retrouvent pas dans la pratique et l'idéologie du vieux clivage gauche / droite.
2. La perte des repères provient essentiellement du fait que l'ancien cohabite avec le neuf et que les modalités de l'avenir demeurent encore extrêmement floues.

RÉDACTION

7 À partir de ce plan, écrivez votre compte rendu.

(Un tiers du texte de départ, soit environ 200 mots)

FRANCE, TERRE D'ACCUEIL ?

ESPACE SOCIETÉ

● RÉFLEXION SUR
  L'INTÉGRATION

1 « **Douce France** ».

Reportez-vous à la page 164 de votre manuel.

1. Dans le couplet ajouté par le groupe « Carte de Séjour », où sont situés ces « *paysages* », ces « *soleils merveilleux* », ces « *autres cieux* » que chantent les Beurs ?

....

2. Croyez-vous qu'ils soient vécus ou imaginés ?

....

3. Que traduit leur couplet : un attachement à la France rurale ou à la France urbaine ?

....

4. Quel choix de vie ont-ils fait ?

....

5. Qu'ajoute ce couplet à la chanson d'origine ?

....

....

● EXPRESSIONS ARGOTIQUES

2 **Lexique.**

1. Dans le texte « Le Beur de la rue Mouffetard », page 167, relevez cinq mots ou expressions qui appartiennent à la langue familière ou argotique :

....

2. Comment peut-on inférer (deviner en raisonnant) le sens des mots suivants dans le contexte ?

	Explication dans le texte	Déduction d'après les indices fournis par le contexte	D'après votre expérience	Donnez un synonyme
relayer	....	....	....	....
bouffer	....	....	....	....
blondasse	....	....	....	....
mèches	....	....	....	....
pondues	....	....	....	....
jaffe	....	....	....	....
achalandée	....	....	....	....

3 **Lisez l'interview d'Omar, le clandestin.**

– Comment vous appelez-vous ?

– Omar. Je préfère ne vous dire que mon prénom.

– Il y a longtemps que vous êtes en France ?

– Je suis arrivé en 1982. J'avais 19 ans à l'époque. J'avais un visa de tourisme et je suis resté.

– On n'a pas régularisé votre situation ?

– Non.

– Comment avez-vous fait ?

– J'avais un oncle à Paris. Grâce à lui, j'ai pu avoir tout de suite un petit boulot, porter des caisses de fruits : 800 francs par mois, au noir évidemment. Après, j'ai travaillé dans un restaurant algérien en banlieue. Toujours au noir : 4 500 francs par mois pour 14 heures de travail par jour. Au mois d'août on ne travaille pas, on n'est pas payé.

– Et on ne vous a jamais inquiété ?

– Vous savez, je fais attention. Je sors très peu. J'ai fait quelques balades à Paris, mais toujours en taxi. Ça me coûte 150 francs chaque fois. J'ai vu le Jardin des Plantes, le Trocadéro et même le musée du Louvre.

– Vous êtes retourné au Maroc ?

– Oui. Une fois, en train. C'est moins surveillé maintenant, question papiers.

– Vous avez des projets ?

– Oui, j'ai quelques économies. Mon rêve ce serait d'ouvrir un petit commerce.

– Sans carte de séjour ?

– Non. Je me suis marié et ma femme a déjà sa carte. On a une petite fille d'un an. On a trouvé un petit appartement et on est bien équipé.

– Alors, c'est le bonheur ?

– Non, ça fait mal au cœur de ne pas pouvoir sortir et vivre comme tout le monde.

– Qu'est-ce qui vous manque le plus ?

– Des copains. C'est ça qui compte... Les papiers, au fond, je m'en fiche !

> L'histoire d'Omar vous a frappé et vous la racontez mais, comme vous ne connaissez les faits que par ce que avez lu et que vous ne voulez rien affirmer qui puisse le compromettre, vous prenez des précautions.

Omar, l'immigré dont je vous parle, vivrait en France depuis plusieurs années...

4 **Réfléchissez, informez-vous.**

1. Pourquoi l'immigration des années 80 en France a-t-elle été essentiellement africaine ? (Cherchez des raisons historiques dans l'histoire coloniale française de la deuxième moitié du XXe siècle.)

2. Quelles difficultés rencontrent les jeunes Beurs ? Que réclament-ils ?

3. Pour quelles raisons croyez-vous que la xénophobie de certains Français se manifeste actuellement de façon plus virulente ?

....

....

....

....

....

....

....

....

ESPACE LANGUE _____

Le conditionnel

● EXPRIMER L'HYPOTHÈSE,
  POUVOIR, DEVOIR, FALLOIR

1 **Réagissez.**

Réagissez aux affirmations ci-dessous en marquant votre hésitation, en présentant votre réponse comme une hypothèse.

On peut aller au théâtre ce soir. → *Oui, on pourrait y aller.*

1. Il faut résoudre ce problème. ....

2. Nous devons faire ces réparations. ....

3. Ils pourront trouver du travail. ....

4. On doit faire appel à lui. ....

5. Vous pouvez y arriver. ....

6. Il faudra nous y préparer. ....

● CONDITIONNEL

2 **Un beau rêve.**

Complétez avec des verbes au conditionnel.

Bientôt, ce (être) .... sa femme rougissante qui (s'appuyer) .... sur son bras. Ils (entrer) .... dans leur appartement modeste mais confortable. Ils (partager) .... les tâches domestiques, ils (former) .... un couple modèle. Ils (aller) .... travailler et, le soir, ils (se retrouver) .... et ils (passer) .... tous leurs moments de loisir ensemble. Ils (voir) .... leurs amis, ils (sortir) .... souvent. Plus tard, ils (avoir) .... des enfants qu'ils (élever) .... avec amour. Leur vie (être) .... exemplaire.

● ACTES DE PAROLE

3 **Conseil, reproche ou proposition ?**

Mettez un C, un R ou un P entre parenthèses.

1. Tu pourrais te dépêcher !   (......)

2. Tu ferais mieux de te reposer.   (......)

3. Vous auriez pu me faire très mal !   (......)

4. Vous devriez passer nous voir.   (......)

5. Il vaudrait mieux que tu leur écrives.   (......)

6. Ça vous ferait plaisir d'aller au restaurant ? (......)

7. Vous devriez aller voir ce film.   (......)

8. Vous ne pourriez pas faire attention !   (......)

● MODALISATION

4 **Récrivez ces affirmations pour les rendre plus nuancées.**

Utilisez des verbes au conditionnel.

1. Il semble que la fin de la crise approche.

....

2. Il est possible de créer des emplois.

....

3. Il faut favoriser l'intégration des immigrés.

....

4. Le nouveau projet de loi doit être bientôt prêt.

....

5. Il y a environ 30 000 immigrés clandestins par an.

....

● CONDITIONNEL PASSÉ

5 **Mettez le verbe entre parenthèses à la forme qui convient.**

1. S'il avait pu prévenir, il (être sauvé) ....

2. Au cas où le barrage aurait cédé, la ville (être plongé) .... dans l'obscurité.

3. S'il avait poursuivi ses études, il (obtenir) .... une meilleure place.

4. Quand bien même elle serait allée au conservatoire, elle (ne pas devenir) .... une bonne musicienne.

5. S'il était au courant de ce qui se préparait, il (devoir) .... nous prévenir.

6. Au cas où les choses se seraient dégradées, ils (pouvoir) .... intervenir.

7. Si on avait pris conscience plus tôt des problèmes des banlieues, on (pouvoir) .... éviter des explosions de violence.

● LE CONDITIONNEL ET
LE SUBJONCTIF DANS
L'EXPRESSION DE
LA CONDITION

6 **Mettez le verbe entre parenthèses à la forme qui convient.**

1. À condition que vous y (mettre) le prix ...., vous obtiendrez ce que vous voulez.

2. Au cas où vous (changer) .... d'avis, faites-le-moi savoir.

3. À moins que ne (survenir) .... de nouveaux événements, la situation n'évoluera pas.

4. Quand bien même vous le (vouloir) ...., cela ne se fera pas.

5. Pour peu que vous (s'y intéresser) ...., l'idée ferait son chemin.

6. Au cas où la situation (évoluer) ...., prenez vos précautions.

7. Quand bien même vous y (passer) .... votre vie, vous ne pourriez pas tout lire.

● EXPRESSION DE LA
CONDITION

7 **Dites-le autrement.**

Transformez la première proposition pour introduire la condition avec *au cas où* ou *quand bien même*. Mettez les verbes à la forme qui convient.

1. Si vous n'aviez pas d'objection majeure, l'affaire (se régler) vite.

....

2. Même si on créait 20 000 emplois par mois, ça (ne pas suffire) à résorber le chômage.

....

3. Si vous aviez besoin de mon aide, vous (pouvoir) me téléphoner chez moi.

....

4. Même si on prenait des mesures sévères, on (ne pas résoudre) tous les problèmes.

....

ESPACE DOCUMENTS _____

Faire un exposé

 A5 Oral 2 : Exposé sur un thème, dans une perspective comparatiste.
Analyse et commentaire d'un document court et comparaison avec la culture d'origine.
Thème 5 : Les pratiques culturelles.

COMPRÉHENSION GLOBALE

1 **Lisez le texte une première fois « La Banlieue, terre de nulle part » dans votre manuel p. 166.**

Soulignez le circuit de lecture ainsi que les mots clefs de chaque paragraphe.

2 **Pourquoi les auteurs exposent-ils leur point de vue ?**

1. De quels phénomènes sociaux parlent-ils ? Dans quelle sorte de banlieue ?

2. Les lecteurs d'*InfoMatin* sont aussi des téléspectateurs. Quelle image ont-ils l'habitude de recevoir de la banlieue : une image plutôt positive ou plutôt violente ?

3. Le but de ces deux journalistes consiste-t-il à renforcer des clichés spectaculaires comme le font d'autres médias ou à éclairer une réalité beaucoup plus banale ?

COMPRÉHENSION DÉTAILLÉE

3 **Comment les auteurs exposent-ils leur point de vue ?**

1. L'introduction

– Paragraphe 1 : Observez l'emploi du conditionnel dans le paragraphe d'introduction. Avec qui les auteurs prennent-ils leur distance dans ces deux phrases :
Une personne précise ? Une opinion générale ? Des idées répandues dans la société française ?
Vous pourrez compléter votre réponse avec le paragraphe 2 !

2. Le développement

– Paragraphe 2 : Qui menace la vie privée des habitants des banlieues ?
les banlieues dont il est question ici sont-elles populaires ou aisées ?
Pourquoi « l'exclusion » est-elle un mur imaginaire ?

– Paragraphes 3 et 4 : Quels sont les deux phénomènes vécus à l'intérieur d'une banlieue qui restent largement incompris par les observateurs extérieurs ? Pourquoi ? Qu'est-ce que ces observateurs n'ont pas pris le temps de faire ?

4 **Interprétez.**

1. Êtes-vous d'accord avec l'introduction suivante ?
Dans un numéro d'*InfoMatin* paru en mai 95, deux journalistes alertent les lecteurs sur une tendance déjà ancienne qui consiste à se forger une image des banlieues populaires sans savoir ce que leurs habitants vivent réellement.

2. Complétez l'interprétation suivante :
Deux éléments leur paraissent importants à comprendre. D'une part, les habitants des banlieues font partie intégrante de la .... et ont droit au respect des médias comme des hommes .... D'autre part, une banlieue n'est pas un tout homogène : en fait, des groupes avec des aspirations et des comportements extrêmement .... y cohabitent.
C'est parce que l'on privilégie le spectaculaire au détriment de la réalité des gens, qu'encore quatorze ans après les premiers signes de .... on continue à méconnaître la banlieue et à la considérer comme une « .... ».

COMPARAISON

5 **Isolez le trait culturel que vous comparerez.**

Choisissez parmi les deux suggestions suivantes :

1. Les caractéristiques des banlieues, en France et dans votre pays.

2. Le problème des banlieues : traitement par les médias, en France et dans votre pays.

6 **Élaborez une comparaison.**

Dégagez les points communs et les différences qui vous apparaissent sur le thème retenu, entre les deux pays et précisez notamment si le terme de « banlieue » recouvre les mêmes réalités.

PRÉSENTATION ORALE

7 **Faites le plan de votre intervention.**

Vous pouvez organiser votre développement de la façon suivante :

1. Introduction

Reprenez votre présentation de l'article d'*InfoMatin* (cf. activité 4, ci-dessus) et complétez-la en annonçant votre démarche comparatiste.

Exemple :

Les médias ont une tendance (à laquelle n'échappent pas tout à fait les deux journalistes d'*InfoMatin*) à rassembler sous un même terme des réalités différentes.

Or, on le sait : ni ici, ni en France il n'y a « la » banlieue mais « des » banlieues.

Quelle image les médias donnent-ils des banlieues ? Cette question se pose également dans notre pays.

Pour essayer d'y voir un peu plus clair, je vais d'abord comparer, dans un premier point, l'image colportée par le journal télévisé avec les réalités que je connais de la banlieue de X.

Puis je verrai, dans un second point, si l'écart entre cette image et la réalité est aussi important chez nous qu'en France.

2. Développement en deux parties

– Le traitement des problèmes de la violence en banlieue par la télévision comparé aux réalités que je connais des quartiers populaires de X.

– Transition : l'écart dénoncé par « *Infomatin* » entre les images spectaculaires de la violence en banlieue et la réalité quotidienne beaucoup plus banale est-il aussi important dans notre pays ?

– L'écart entre le spectacle de la banlieue et la vie réelle, en France et chez nous.

3. Conclusion

Expliquez :

– ce que cela vous a apporté de réfléchir à ces questions,

– ce que cela vous a apporté d' élaborer une comparaison entre deux pays,

– les limites de cette comparaison.

ENTRÉE DES ARTISTES

ESPACE SOCIÉTÉ ─────────────────────────

● PRATIQUES CULTURELLES

1 **Faites des suppositions à propos des pratiques culturelles de vos compatriotes.**

Soyez prudent, n'affirmez pas si vous n'êtes pas certain de ce que vous avancez. Variez les structures de modalisation : *Il semble que... on dit que, probablement, environ, selon...*

Vos compatriotes sont-ils nombreux à posséder des livres ?
→ *Ils doivent être quatre ou cinq sur six à posséder des livres.*
Ou → *Il semble(rait) que la plupart en possèdent.*

Sont-ils nombreux :

1. à regarder la télévision ?

....

....

2. à aller au cinéma ?

....

....

3. à aller visiter les musées ?

....

....

4. à fréquenter les bibliothèques publiques ?

....

....

● PROCÉDÉS D'ÉCRITURE

2 **Retrouvez la structure du texte.**

Relisez le texte « Culture : état de la France », page 176 de votre manuel.

1. Relevez

– une énumération, et dites quelle est sa fonction dans le texte : ....

....

– des oppositions : ....

....

....

– des interventions directes de l'auteur (dans ce texte qui a pour but d'exposer les résultats d'un sondage) : ....

....

....

2. Retrouvez les six questions qui ont été posées aux Français d'après la synthèse que fait l'auteur de leurs réponses.

3 La bédémanie.

La vogue des bandes dessinées, la sympathique « bédéphilie » est devenue une véritable « bédémanie », grave psychose obsessionnelle qui consiste à passer sa vie à faire la chasse aux BD. On ne compte plus les universitaires qui tentent des « psychanalyses » de nos petits héros, comme s'il fallait trois mille pages et dix ans d'études supérieures pour se rendre compte que le capitaine Haddock est un pervers polymorphe[1] et les Dupont un bel exemple d'amour gémellaire[2].

L'édition, désireuse de tirer quelque profit de l'épidémie, s'est lancée dans des versions luxueuses, des maxi-formats et des tirages spéciaux.

Gaston Lagaffe, un de ces héros, soupirerait : « M'enfin[3] ! »

1. polymorphe : qui a, ou qui peut prendre, beaucoup de formes différentes.
2. gémellaire : qui concerne des jumeaux.
3. m'enfin : contraction de *mais enfin !*

1. Définissez la bédéphilie par opposition à la définition de la bédémanie.
2. Qui sont les « petits héros » les plus populaires en France ?
3. Qui tire profit de la bédémanie ?
4. Quels sont, d'après vous, les lecteurs les plus assidus ?
5. Quelle est l'attitude de l'auteur face à la commercialisation à outrance de la BD ?
6. Comment fait-il sentir sa critique ? Comment comprenez-vous le « M'enfin ! » final ?

Gaston Lagaffe.

Lucien.

Les Dupondt.

Le capitaine Haddock.
Hergé Casterman.

4 Enrichissez votre vocabulaire.

Relisez le texte « Les maîtres n'imitent personne », p. 178 de votre manuel.
Trouvez des mots ou des expressions de sens équivalent à :

1. violent, acharné, sauvage : ....

2. qui ne fait aucune concession, qui n'admet aucun compromis : ....

3. abandonner, laisser tomber : ....

4. comme un esclave, sans aucune originalité : ....

5. médiocrité, caractère de ce qui est plat, sans originalité : ....

6. disposition, organisation, agencement : ....

ESPACE LANGUE

La cohésion d'un texte 1

● NOMINALISATION

1 **Transformez ces titres pour en faire des phrases avec un verbe conjugué.**

1. Inauguration du musée de Quimperlé retardée.

....

2. Prochaine visite des ballets russes à Paris.

....

3. Agrandissement du théâtre de Marseille.

....

4. Mise en service prévue d'un répertoire culturel sur Minitel.

....

5. Ouverture du Festival de Cannes le 17 mai.

....

6. Départ en tournée d'été de plusieurs artistes.

....

● REPRISE PAR NOMINALISATION

2 **Complétez les phrases par un nom qui reprend l'idée précédente.**

1. Cézanne a découvert la neige et ses gris en 1872, en travaillant à Pontoise avec Pissarro. Cette .... a été décisive.

2. Le peintre s'est mis à utiliser des couteaux spéciaux pour peindre par grandes masses. Cette .... a profondément influencé sa technique.

3. Il procède par d'innombrables taches fractionnées sans jamais dessiner. Cette .... exige un long et patient travail.

4. Il a choisi une technique particulière. Ce .... lui a imposé une nouvelle discipline.

5. Il est bien difficile de traiter un tel sujet en 128 pages. Ce type de .... empêche toute exhaustivité.

6. L'ouvrage est organisé selon trois axes. Cette ...., fait de ce livre un excellent outil de travail.

● ARTICULATEURS DE CONSÉQUENCE

3 **Complétez le texte.**

Utilisez un des trois articulateurs suivants : *en fait, en effet* ou *c'est pourquoi*.

1. La grande majorité des touristes étrangers visitent d'abord Paris ...., c'est la capitale qui possède, à leurs yeux, le plus de prestige. .... les efforts de promotion devraient surtout porter sur la province. ...., c'est ce qui se passe, les régions ayant lancé de vastes campagnes promotionnelles.

2. La construction du musée devait être terminée à la fin du mois d'août. ...., elle prendra six mois de plus. ...., la découverte d'un édifice ancien dans le sous-sol a fait s'interrompre les travaux. .... l'inauguration ne pourra avoir lieu que l'an prochain.

4 **Complétez les phrases suivantes.**

Utilisez une des expressions suivantes : *ailleurs, d'ailleurs, par ailleurs.*

1. Émile Zola était un grand romancier. Il se fit .... critique d'art par amitié pour Cézanne pour défendre ses amis peintres.

2. Le projet a été bien accueilli. Rien, ..., ne s'opposait à sa réalisation.

3. Le Centre Pompidou accueille des créateurs et des techniciens. ...., des séminaires regroupent des penseurs et des chercheurs.

4. L'intérêt de « La Maison du pendu » de Cézanne, comme .... des autres œuvres de cette époque, est de témoigner de la nouvelle discipline que s'impose alors le peintre.

5. Si on ne pouvait pas édifier ici ce complexe culturel, on pourrait certainement le bâtir ....

5 **Comment le paragraphe est-il organisé ?**

Lisez le paragraphe suivant écrit à propos de Cézanne.

La paix revenue, le grand peintre part, en 1872, retrouver Pissarro à Pontoise. « Notre Cézanne nous donne des espérances, écrit le bon maître, et j'ai vu chez moi une peinture d'une vigueur, d'une force remarquables ». Sous l'influence de « l'humble et colossal Pissarro », sa technique change. D'abord, il utilise des couteaux spéciaux « pour peindre par grandes masses ». Il truelle la couleur, rendant le sujet d'une façon sommaire par des ombres accentuées et quelques touches rapides de rouge et de jaune-vert. Puis, il découvre la neige et ses gris. Du coup, sa toile s'adoucit, sa palette s'éclaire, il maîtrise son exhubérance pour mieux éprouver ses sensations. Il étudie les effets de la lumière, apprend que les objets se reflètent les uns sur les autres et, sans jamais dessiner, procède par d'innombrables tâches fractionnées, posées une à une.
Un lent travail. « C'est que je ne peux pas rendre ma sensation du premier coup, alors je remets de la couleur. J'en remets comme je peux… en donnant la forme avec le pinceau. » *Vue d'Auvers, Effets de neige, La Maison du pendu* témoignent de cette manière, de cette nouvelle discipline qu'il s'impose et qui sera l'une des nombreuses marques de son génie.

1. Dites quelle phrase exprime le mieux l'idée centrale :
   a. Cézanne est un élève de Pissarro. ❑
   b. La technique de Cézanne change. ❑
   c. Cézanne maîtrise son exhubérance. ❑

2. Cézanne est au centre de ce paragraphe. Entourez tous les mots ou expressions qui le désignent ou se réfèrent à lui tout au long du paragraphe. (références internes)

3. Encadrez les deux articulateurs introduisant les découvertes de Cézanne. Trouvez un articulateur introduisant une conséquence.

4. Soulignez les deux passages dans lesquels l'auteur du texte fait un commentaire personnel.

ESPACE SOCIÉTÉ _____

● DÉFINITION

1 **Définissez ces inventions qui ont changé notre vie.**

Si besoin est, aidez-vous de la page 188 de votre manuel.

1. La carte à mémoire (ou carte à puce) : ....

....

2. Le télécopieur : ....

....

3. Le disque compact laser (ou CD) : ....

....

4. Le scanner : ....

....

5. Le robot d'usine : ....

....

● PROCÉDÉS D'ÉCRITURE

2 **Retrouvez les marques de cohérence.**

Relisez le texte « Un projet ancien », page 190 de votre manuel.

1. Trouvez :

a. trois expressions de conséquence : ....

b. deux oppositions : ....

c. deux généralisations : ....

2. À qui ces mots font-ils référence ?

a. son (dans la première phrase) : ....

b. Il (dans la première phrase) : ....

c. nous/notre (« Mais revenons à notre véhicule ») : ....

● VALEUR DES TEMPS

3 **Quel sens le temps des verbes donne-t-il aux énoncés ?**

Le temps des verbes est une clef pour la compréhension d'un texte : il assure en partie la cohérence des idées émises et peut avoir valeur de vérité générale (V), d'hypothèse (H), de prédiction (P), d'intention (I), de passé révolu (R)... Dites quelle est la valeur de sens des verbes soulignés :

1. Quelques-uns d'entre vous ont pu croire : ....

2. la vitesse qui lui sera imprimée : ....

3. tous les autres l'emportent en rapidité : ....

4. l'humanité serait renfermé... : ....

5. On va aller... : ....

● VALEUR DE SENS DES TEMPS

4 **Comment la temporalité est-elle marquée ?**

Relisez le texte « Les greffes d'organes », p. 192 de votre manuel.

1. Relevez les trois expressions de temps. ……………………………………………………..
………………………………………………………………………………………………………

2. Quelle différence voyez-vous entre le passé simple « découvrit » et les passés composés qui suivent ? …………………………………………………………..
………………………………………………………………………………………………………

3. Que marque le plus-que-parfait de la dernière phrase ? …………………………………
………………………………………………………………………………………………………

ESPACE LANGUE

La cohésion d'un texte 2

● REPRISE PRONOMINALE

1 **Complétez les phrases.**

Utilisez des composés de *celui*.

1. Nous n'avons pas seulement mentionné les innovations technologiques françaises, mais aussi …………… autres pays.

2. Ce modèle me plaît moins que …………… .

3. Nous n'étions pas vraiment intéressés par le premier projet mais par …………… qui nous a été présenté ce matin.

4. Ce magnétoscope n'est pas assez perfectionné. Je préfère …………… .

5. Ces études ont été bien menées, mais …………… me paraissent plus fiables.

6. Parmi ces inventions, il y a …………… sont susceptibles de larges applications et …………… n'apportent qu'une faible part de nouveauté.

● RÉFÉRENCES INTERNES :
REPRISE PRONOMINALE AVEC
EN, Y, LE

2 **Complétez les phrases.**

Utilisez les pronoms *le, en* ou *y*.

1. Les innovations technologiques des années 80 ? Nous …… avons parlé à la page 128. …… avez-vous seulement remarqué ? Vous …… êtes-vous reporté ?

2. Comme nous …… avons souligné, les autoroutes de l'information vont bouleverser les données actuelles en matière de communication. Il faut …… prendre rapidement conscience et nous …… préparer.

3. Les hommes sont allés sur la Lune. Jule Verne …… avait prédit. Ils …… sont parvenus. On …… parle encore !

4. La France doit avoir une recherche informatique efficace. Mais s'…… donnera-t-elle les moyens ? …… pourra-t-elle ? …… attachera-t-elle assez d'importance ?

● ARTICULATION DU
PARAGRAPHE

3 **Comment le paragraphe est-il articulé ?**

Lisez ce paragraphe sur les retard des avions.

La création de nouvelles pistes ou de nouveaux aéroports en Europe permettrait sans doute de mieux réguler les flux. Mais, hormis la récente construction d'une piste à Dusseldorf et d'un aéroport à Munich, rien n'a bougé depuis vingt ans. En cas d'engorgement à l'atterrissage, les contrôleurs ouvrent des circuits d'attente en faisant tourner les appareils au-dessus des aéroports. C'est loin d'être idéal ! Mais les vives résistances des écologistes et des riverains, y compris de ceux qui sont venus s'installer bien après la mise en service de l'aéroport, l'emportent sur les velléités d'agrandissement. D'ailleurs, celui-ci n'est pas souvent possible car les terrains disponibles n'existent pas. C'est le cas de Francfort. À l'inverse, Roissy possède ce potentiel. Avec son domaine de 3 100 hectares, cet aéroport a été conçu pour accueillir cinq pistes. Déjà reportée une première fois, la construction d'une troisième piste semble aujourd'hui concurrencée par la mise en service d'un nouvel aéroport dans la région Centre.

1. Cherchez la phrase clef.

2. Soulignez les sept articulateurs du paragraphe puis indiquez la nature et la fonction de chacun.

Choisissez parmi les fonctions suivantes : restriction, opposition, hypothèse, commentaire personnel de l'auteur, argument présenté comme une évidence, explication, cause.

3. Résumez l'argumentation.

ESPACE DOCUMENTS ──────────────────────────

Comment présenter un thème

 A5 Oral 1 : Entretien : présentation d'un texte et discussion sur le thème choisi.
Thème 2 : Se déplacer.

COMPRÉHENSION GLOBALE

1 **Analysez rapidement le circuit de lecture.**

1. À partir du titre du texte, du titre de la revue et de la phrase de conclusion, dites quelles relations vous voyez entre « train », « inter » (dans inter-régions) et « réseau ».

2. Diriez-vous que ce texte s'appuie surtout sur la narration d'événements, la description d'une situation, l'argumentation d'une thèse ou la conviction de son auteur ?

2 **Étudiez la façon dont l'auteur expose son point de vue.**

1. Reformulez cette phrase afin d'exprimer plus fermement la conviction de l'auteur.

« Car, *si* le train *est* le moyen de locomotion de l'avenir (...) *il n'est évidemment pas question* que ce soit tout seul mais, au contraire, dans une combinaison de tous les modes. » (lignes 19 à 25)

– Remplacez *si* + indicatif par *pour que* + subjonctif
– Remplacez la forme négative, par une forme affirmative.

2. Relisez la conclusion et complétez l'énoncé suivant :

Le but de l'auteur de l'article est de transmettre à ses lecteurs une conviction : ………

……………………………………………………………………………………………

Mais, à ses yeux, cet atout qu'est le TGV ne suffit pas au développement des régions.

Il argumente donc de la façon suivante : pour que le TGV soit vraiment …………,

il faudrait que……………………………………………………………………………

LA FRANCE DU TGV

Le coût financier et social des accidents de la route semble de plus [...] en plus inacceptable et la pollution engendrée par le trafic routier de plus
5 en plus intolérable, non seulement par le dégagement inutile d'oxyde de carbone mais aussi - on commence à en prendre conscience - par le risque que représente la circulation, à travers les zones urbanisées
10 notamment, de certains chargements hautement toxiques. Le TGV, c'est vrai, est pour l'instant réservé aux voyageurs, mais son rôle d'entraînement est considérable pour la réhabilitation du transport ferroviaire
15 dans toute ses applications.

N'envisage-t-on pas déjà de créer des lignes transportant les camions sur grande distance, comme on le fait depuis longtemps pour les véhicules particuliers ? Car,
20 si le train est le moyen de locomotion de l'avenir comme il a été celui des premières années de l'ère industrielle, il n'est évidemment pas question que ce soit tout seul mais, au contraire, dans une combinaison
25 de tous les autres modes. Le transport est devenu un secteur de plus en plus complexe où il ne s'agit plus seulement d'acheminer un voyageur ou une marchandise d'un point à un autre. Pour les voyageurs,
30 il doit combiner vitesse, régularité, confort, et tarifs concurrentiels. En ce qui concerne le fret*, il s'intègre dans une chaîne compliquée de prestations nouvelles, régies par le couple rentabilité-compétitivité, et soumise
35 bientôt à une concurrence illimitée, ouverte par le marché unique européen.

On voit sans peine s'esquisser une carte du développement autour de grands nœuds d'interconnexion de transports per-
40 formants : aéroports, autoroutes, gare TGV. C'est là que se concentreront les activités, mais aussi, pour des raisons évidentes d'efficacité, les pôles intellectuels, financiers et l'essentiel de la population.
45 Cela implique un nouvel enjeu pour l'aménagement du territoire : éviter une dualité, non plus entre régions fortes et régions faibles, ou centres et périphéries,
50 mais entre pôles reliés par voies rapides et « espaces creux ». À l'échelle européenne, cela signifie de nouvelles lignes de fracture entre les régions peuplées, industrielles, riches de la dorsale Londres - Milan et de
55 vastes territoires désertés, en France en particulier.

Le TGV est une chance fantastique pour nos régions de rattraper le « train du
60 progrès », à la condition expresse qu'une ferme politique d'aménagement du territoire exige que cette puissante artère soit complétée par un réseau complémentaire de « capillaires » de tous ordres - auto-
65 routes, trains rapides, lignes aériennes secondaires - irriguant l'ensemble des territoires, et soit réellement une « motrice » entraînant tous les wagons.

Extrait d'un article d'*Inter-régions n° 151*,
Juin 1992

fret : Transport de marchandises.

COMPRÉHENSION DÉTAILLÉE

3 **Complétez le plan du texte en résumant son contenu.**

1. Introduction :
– Lignes 1 à 11 : présentation d'une situation qui pose problème : ....
– Lignes 11 à 15 : énoncé d'une conviction : ....

2. Développement :
– Lignes 16 à 36 : argument : ....
– Lignes 37 à 44 : première conséquence : ....
– Lignes 45 à 56 : deuxième conséquence : ....

3. Conclusion :
– Lignes 57 à 68 : résumé de la thèse : ....

PRÉSENTATION ORALE

4 **Exprimez une opinion personnelle en relation avec le thème 2 : se déplacer.**

1. Pour vous, « se déplacer » est une notion plutôt positive ou plutôt négative ?
2. Le verbe « se déplacer » a deux significations. Expliquez-les en trouvant des synonymes.
– changer de lieu (dans l'espace physique) est synonyme de ...., ... ;
– changer de place sociale est synonyme de ...., ..., ...
3. Selon vous, que gagne-t-on et que perd-on avec la mobilité (culturelle, sociale, professionnelle) ?
4. Vous pouvez maintenant définir un sujet en rapport avec le texte « La France du TGV » et le thème 2.
– le TGV : un trait d'union entre les Européens ?
– Le TGV : un atout pour le développement des régions.

5 **Pour élaborez le plan de votre intervention, vous pouvez vous inspirer du schéma suivant :**

1. Introduction :
Résumez les points forts de l'article en vous aidant du plan puis, faites une transition avec le thème choisi.
Exemple de transition : Ce que je viens de dire à propos de la France peut être élargi à l'échelle européenne : comment faire en sorte que les moyens de communication et notamment le TGV irriguent l'ensemble du territoire de manière à constituer un véritable trait d'union entre les Européens ?

2. Développement du thème :
– Se déplacer devient un enjeu social et professionnel majeur en temps de crise économique (pour les entreprises comme pour les salariés). Quelques exemples le montrent : ....
– *Exemple de transition :* Pourtant, cette mobilité ne signifie pas que les zones délaissées par les activités industrielles ou culturelles se repeuplent !
– Pour moi, le problème est donc le suivant : comment faire en sorte que de nouvelles activités (économiques, intellectuelles, etc.) s'installent ailleurs que sur des zones déjà attractives ? ....

3. Conclusion :
À défaut de le résoudre, essayez d'élargir le problème !
Exemple : Avec les mutations actuelles du travail (cf. p. 23 et dossier 3 du manuel), les régions désertées peuvent retrouver un intérêt aux yeux des citadins.

DISCUSSION AUTOUR DU THÈME

6 **Répondez en donnant un ou deux arguments.**

1. Pensez-vous que l'extension des réseaux de communication suffise à redonner de la vie à des territoires désertés ?
2. Croyez-vous que l'extension du TGV puisse apporter une réponse à la pollution et aux accidents de la route ?

Imprimé en Italie par G. Canale & C. S.p.A. - Borgaro T.se - Turin - Dépôt légal : 3388-02/96 - Collection n° 26 - Edition n° 01 - 15/5062/3